OUVERTURE

Valeurs Livre 4
La qualité de la vie

L120 course team

OU team

Ghislaine Adams *(course manager)*
Ann Breeds *(course secretary)*
Joan Carty *(liaison librarian)*
Tina Cogdell *(print buying co-ordinator)*
Jonathan Davies *(design group co-ordinator)*
Jane Duffield *(project controller)*
Tony Duggan *(project controller)*
Kevin Firth *(team member/author)*
Janis Gilbert *(graphic artist)*
David Hare *(team member/author)*
Pam Higgins *(designer)*
Angela Jamieson *(BBC producer)*
Marie-Noëlle Lamy *(course team chair/author)*
Kate Laughton *(editor)*
Mike Levers *(photographer)*
Ruth McCracken *(reading member)*
Reginald Melton *(IET)*
Hélène Mulphin *(team member/author)*
Jenny Ollerenshaw *(team member/author)*
Liz Rabone *(editor)*
Margaret Selby *(course secretary)*
Anne Stevens *(reading member)*
Betty Talks *(BBC series producer)*
Betty Turner *(print buying controller)*
Penny Vine *(BBC producer)*

External assessor

Professor Samuel Taylor (Department of French, University of St Andrews)

External consultants

Authors who contributed to the writing of the materials were: Martyn Bird; Lucile Ducroquet; Brigitte Guénier; Rod Hares; Hélène Lewis; Sandra Truscott.

Critical readers were: Lucette Barbarin; Malcolm Bower; Brian Page; John Pettit; Richard Tuffs. Bob Powell was the language adviser.

Supplementary picture and text research by Pierrick Picot. Proofs read by Danièle Bourdais.

Developmental testing

The course team would like to thank all those people involved in testing the course materials. Their comments have been invaluable in the preparation of the course.

The Open University, Walton Hall, Milton Keynes MK7 6AA

First published 1995. Reprinted 1996

Edited, designed and typeset by the Open University

Printed in the United Kingdom by Butler and Tanner Ltd, Frome and London

ISBN 0 7492 6261 3

This text forms part of an Open University course. If you would like a copy of *Studying with the Open University* or more information on Open University language materials, please write to the Central Enquiry Service, P.O. Box 200, The Open University, Walton Hall, Milton Keynes MK7 6YZ.

1.2

L120-L501val4i1.2

Contents

Introduction

Book 4 of *Valeurs* continues to explore the material aspects of contemporary French society by focusing on the quality of one's life (*la qualité de la vie*). In Section 1, *Vendre la ville*, we find out how Nantes and three other French cities have tried to persuade the French public that the quality of life offered in their part of France is excellent. In Section 2, *Le tramway nantais*, we examine in particular how Nantes has sought to improve the quality of life it offers by bringing the tramway back to its streets. This section also gives you an opportunity to watch a mini-documentary in full. Finally, Section 3, *C'est quoi, la qualité de la vie?*, touches on ecological issues and on one's quality of life at work.

As this is the last book of *Valeurs,* it would be a good idea, in order to draw on the skills and knowledge you have developed in the first three books, to have your dossier to hand as you work and revise.

The Feature Cassette associated with this book focuses on an ecologist, a fisherman and a yoga teacher who explain how they improve the quality of their and of others' lives.

1 Vendre la ville

STUDY CHART

	Topic	Activity/timing	Audio/video	Key points
3 hrs 30 mins	*1.1 Les villes font leur pub*	1 (20 mins)		Vocabulary: describing towns
		2 (15 mins)		
		3 (40 mins)		Understanding town brochures
		4 (15 mins)		Identifying link words
		5 (15 mins)	Audio	Vocabulary: moving to a better area
		6 (15 mins)	Audio	Recognizing the present conditional
		7 (15 mins)		Forming the present conditional
		8 (10 mins)		Using the present conditional in writing
		9 (15 mins)		Translating *devoir* and *pouvoir* in the present conditional
		10 (15 mins)	Audio	Using the present conditional orally
1 hr 10 mins	*1.2 Vues de Nantes*	11 (15 mins)	Video	Introduction to Nantes and its selling points
		12 (10 mins)	Video	
		13 (35 mins)		Revising the present conditional

	Topic	Activity/timing	Audio/video	Key points
4 hrs	*1.3 L'effet Côte Ouest*	14 (15 mins)	Video	Understanding a TV advertising campaign
		15 (15 mins)	Video	
		16 (40 mins)	Audio	Discussing advertisements in a formal oral presentation
		17 (10 mins)	Audio	Understanding the language of criticism
		18 (10 mins)	Audio	
		19 (20 mins)	Audio	Giving criticism
		20 (15 mins)	Audio	Replying to criticism
		21 (15 mins)		Understanding the present conditional with *si*
		22 (15 mins)		Using the present conditional with *si*
		23 (40 mins)		Section revision

This section examines how towns promote themselves. In *Les villes font leur pub* we focus on advertising (informally, *la pub*) with extracts from brochures for three French towns. Next, in *Vues de Nantes,* we ask you to concentrate on Nantes and to work on the language you might use to write an advertisement for this city. In *L'effet Côte Ouest* we discover how a professional advertising agency addressed that same challenge and we watch two of the agency employees disagreeing over the choice of images they might use to portray Nantes.

Expressing disagreement and expressing what might be are two of the main things you'll learn as you work through this section.

1.1 Les villes font leur pub

In France many *mairies* produce promotional material, some of it elaborately presented, to advertise the quality of life in their area. You're going to study a selection of such material to develop your vocabulary. You'll then learn to express what you 'would do', where you 'would go', etc., if certain conditions were met. You'll be helped in this by listening to a couple who would like to move to a different town and by following the language they use to discuss their plans.

In the first four *activités* of this topic we examine advertisements for three towns, Chambéry, Lille and Toulouse. You'll find these advertisements easier to read if you are able to predict some of the ideas and therefore some of the vocabulary likely to be found in them. For example, it is fairly

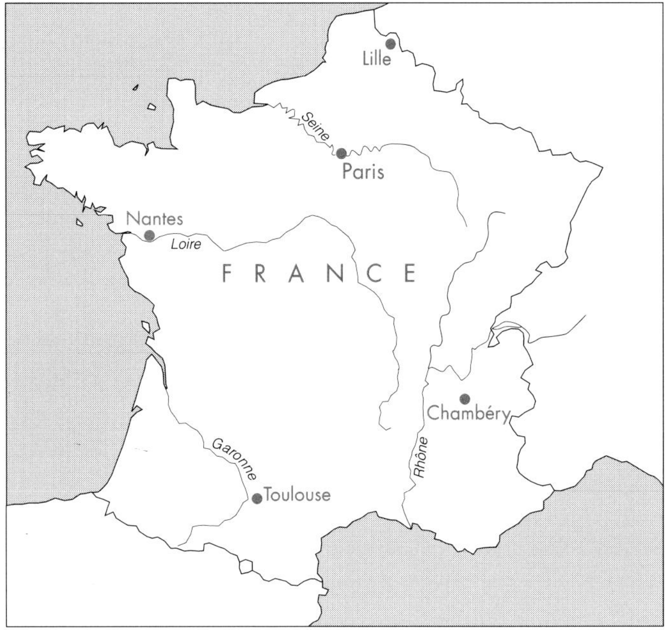

predictable that each town will talk about such things as its past, its future, its cultural heritage and activities, its business culture and its environment. Bearing these categories in mind, you should be able to use the vocabulary you do know to guess the words you don't know. The next *activité* helps you practise this.

Activité 1

20 MINUTES

Avant de lire les brochures publiées par Chambéry, Lille et Toulouse, répondez aux questions ci-dessous qui vous demandent de prédire quelles phrases peuvent apparaître dans une publicité destinée à promouvoir une ville.

1 Parmi les treize adjectifs ci-dessous, cochez-en huit qui pourraient être inclus dans une telle brochure publicitaire.

(a) ennuyeuse ❑

(b) accessible ❑

(c) innovatrice ❑

(d) morne ❑

(e) jeune ❑

(f) dynamique ❑

(g) froide ❑

(h) puissante ❑

(i) accueillante ❑

(j) triste ❑

(k) moche ❑

(l) douce ❑

(m) vivante ❑

2 Parmi les quinze expressions ci-dessous, cochez-en dix que l'on pourrait trouver dans une brochure qui vend les avantages d'une ville.

(a) ville moderne qui néglige les splendeurs du passé ❑

(b) la conscience d'un riche passé ❑

(c) un endroit peu accueillant pour les entreprises ❑

(d) un riche réseau de PME-PMI ❑

(e) la formation trouve ici un terrain privilégié ❑

(f) en osmose avec la nature ❑

(g) une ville qui sous-estime l'importance de l'environnement ❑

(h) des salons de renommée internationale ❑

(i) se repose sur ses lauriers sans préparer l'avenir ❑

(j) prête à aborder le XXIème siècle ❑

(k) fidèle aux traditions ❑

(l) une ville fière de ses glorieuses aventures d'hier ❑

(m) les racines du futur ❑

(n) petit port sans dynamisme ni charme ❑

(o) la nature est toujours proche ❑

The next *activité* focuses on key vocabulary relating to the past and future of these towns, their business culture and environment. You'll be working from the keywords, or clues, which you were asked to recognize in the previous *activité.*

Activité 2

15 MINUTES

Dans la deuxième partie de l'Activité 1 vous avez choisi dix expressions. Groupez-les sous les rubriques 'Histoire', 'Avenir', 'Vie des entreprises' et 'Environnement' en mettant dans le tableau ci-dessous les mots qui ont facilité votre choix. À titre d'exemple, nous avons mis la lettre (b) accompagnée du mot 'passé' sous la rubrique 'Histoire'.

Histoire	***Avenir***	***Vie des entreprises***	***Environnement***
(b) passé			

Now that you're aware of some of the language and topics to look out for, you're ready to start reading the texts themselves.

Activité 3

40 MINUTES

1 Lisez les questions ci-dessous.

Which town:

(a) Claims that pedestrian precincts help you enjoy the town centre?

(b) Refers to the Channel Tunnel as adding a truly European dimension to the town?

(c) Was chosen by dukes and kings as their capital 1000 years ago?

(d) Implies that many cities are happy with a wonderful past and only dream of an idyllic future?

(e) Has a well-developed service sector comprising banking, administrative and commercial services?

(f) Says it can be easily reached by TGV, plane or motorway?

(g) Has built its economic reputation on hi-tech industry?

(h) Boasts important venues for theatrical and musical events?

(i) Claims it knows how to let its youth shine and its experience talk?

(j) Boasts a university providing education in both traditional and innovative subjects?

(k) Has a history combining French culture with another culture?

(l) Has a population roughly a quarter of which is under twenty years old?

(m) Claims that over the centuries suffering, playfulness and spirituality have mixed harmoniously?

(n) Says that all your favourite sports can be found in the surrounding countryside?

2 Lisez les trois textes qui suivent. Ensuite, relisez la première partie de l'activité et répondez aux questions qui s'y trouvent.

Depuis le Xe siècle, Comtes, Ducs de Savoie et Rois de Sardaigne ont imprégné de leur marque la capitale qu'ils s'étaient choisie : l'Architecture, les places et les rues... et jusqu'à l'âme de la ville, une certaine sérénité, un goût naturel pour la qualité discrète...
Chambéry aujourd'hui ? La conscience d'un riche passé et une vocation confirmée pour l'harmonie entre Culture, Nature et Innovation.

[...]

Pour mieux vivre le centre ville, le réseau des rues et places piétonnes est ouvert à la promenade sans contraintes, libéré par des stationnements souterrains de proximité.
La nature est toujours proche : jardins aux arbres tutélaires, aménagements paysagés et massifs fleuris accompagnent les parcours en tous quartiers.

L'Art de vivre d'aujourd'hui intègre tous les niveaux d'activité physique : promenade familiale ou sport accompli, Chambéry, en osmose avec la nature, favorise toutes les pratiques. Les paysages environnants accompagnent vos sports préférés : piscines, patinoire, terrains, pistes, torrents et le plus naturellement du monde : le ski de fond et de piste à nos portes. En toute saison, Nautiparc, le plus récent parc aquatique de la région, vous propose tous les jeux de l'eau.
La forte identité de Chambéry, issue de son histoire et de ses traditions, lui assure pour l'avenir une formidable réserve de vitalité.
Disposant d'une desserte exceptionnelle, autoroutes, TGV et d'un aéroport distant de quelques minutes du centre, Chambéry est une des villes les plus accessibles des Alpes.

L'activité économique de sa région est structurée sur le dynamisme de groupes internationaux et d'un riche réseau de PME-PMI de productions et de services.
Nombre de ces entreprises se distinguent par leur performance dans des secteurs d'activité diversifiés.
Savoie Technolac, le tout proche Parc Technologique en plein essor, accueille des activités innovantes...
Vetrotex a implanté à Chambéry son Centre International de Recherche... La formation trouve ici un terrain privilégié : l'Université de Savoie y développe des filières classiques ou innovatrices.
En 1993, Chambéry accueille le Congrès Mondial d'Intelligence Artificielle.
Chambéry dispose des compétences, de la volonté de progrès, des outils du développement qui en font dès aujourd'hui le véritable cœur alpin de l'Europe.

Pour vous aider

ont imprégné de leur marque have put their mark on
le réseau the network
des stationnements souterrains underground car parks
aménagements paysagés areas of landscaped gardens
les parcours the (pedestrian) routes
une desserte exceptionnelle exceptional transport links
PME-PMI petites et moyennes entreprises/petites et moyennes industries

Toulouse, Ville Forte, Ville Douce.

En quelques années, Toulouse s'est forgé une image de ville dynamique. L'aéronautique, le spatial, l'électronique, l'informatique, les bio-technologies sont les mots clés de ce label Ville Forte qui permet à notre ville d'être reconnue au plan économique.

Cependant, cette croissance de Toulouse s'est faite dans le respect des grands équilibres qui participent à la qualité de vie ; Toulouse Ville Douce, fière de son patrimoine retrouvé et dont la vie culturelle intense peut à la fois séduire un public exigeant, tout en répondant aux attentes du pratiquant amateur.

La richesse et la particularité de Toulouse, c'est de pouvoir tour à tour, faire éclater sa jeunesse ou laisser parler l'expérience, être le siège de la plus ancienne académie de France, l'Académie des Jeux Floraux, mais aussi de la plus jeune, de l'Air et de l'Espace, faire se rencontrer les spationautes au détour du cloitre des Jacobins, présenter les arts et les techniques de demain dans une architecture de plus de cinq siècles.

Découvrir Toulouse est un exercice simple pour celui qui sait regarder et écouter. A tous les visiteurs qui viennent à la découverte de notre ville, je souhaite la bienvenue à Toulouse.

Dominique Baudis
Député-Maire de Toulouse

BIENVENUE !

Beaucoup de villes dans le monde s'émerveillent sur leur passé en rêvant à un avenir idyllique. Mirage ou réalité, elles oublient le présent et, partagées entre la nostalgie et l'espoir, vivent parfois mal la grisaille du réel quotidien.

TOULOUSE, elle, sait à la fois conjuguer son passé, son présent et son devenir. Fière de ses glorieuses aventures d'hier, elle s'enthousiasme pour des lendemains brillants, en sachant déguster aujourd'hui les plaisirs d'une joie de vivre évidente.

Capitale européenne, TOULOUSE est métropole et phare de cette région Midi-Pyrénées qui compte 2,5 millions d'habitants.

Ici, la vocation aéronautique, la conquête de l'espace, l'appropriation des mystères de l'infiniment savant trouvent peut-être leur source dans les fresques du paléolithique, dans l'aventure spirituelle du catharisme ou les délires artistiques de Toulouse-Lautrec. Oui, elles sont multiples ces racines du futur, parsemées sur tout le territoire de Midi-Pyrénées, dans cet espace enrichi, où pendant des siècles se sont mêlés harmonieusement la souffrance, le ludique et le sacré.

Michel Valdiguié
Maire-Adjoint de Toulouse
Président de l'Office de Tourisme
et du Comité Régional du Tourisme Midi-Pyrénées
Vice-Président du Conseil Régional

Pour vous aider

s'est forgé has created for itself

séduire un public exigeant, tout en répondant aux attentes du pratiquant amateur appeal to more demanding audiences as well as to actively involved amateurs

faire se rencontrer les spationautes au détour du cloître des Jacobins organize meetings for space mission personnel in the Jacobin monastery cloister

la grisaille the dullness (literally 'greyness')

phare beacon

le ludique leisure facilities

Lille est une ville accueillante, agréable et vivante, où il fait bon flâner... De l'animation du centre ville aux rues du Vieux-Lille, bordées de façades en briques roses et de pierres blanches, pleines de charme, ici bien des quartiers incitent à la flânerie et à la découverte.

LILLE... AUJOURD'HUI

Avec près de 170.000 habitants dont 27,2% ont moins de 20 ans, Lille est une ville jeune et dynamique. Capitale régionale, ville - centre d'une métropole millionnaire, premier pôle d'emplois dans le Nord/Pas-de-Calais, elle est devenue une cité puissante et une grande ville universitaire.

[...]

Par ailleurs, Lille a connu une "tertiarisation" accentuée, avec le développement des fonctions bancaires, administratives et commerciales.

Lille accueille également chaque année de nombreuses manifestations commerciales ainsi que des salons spécialisés de renommée internationale.

Grâce à son Palais des Congrès et de la Musique, Lille affirme sa vocation de Ville de Congrès au cœur de l'Europe du Nord.

Enfin, Ville d'Art et d'Histoire, au contact de deux cultures française et flamande, Lille se distingue par l'originalité, la spécificité et la richesse de son patrimoine architectural et artistique.

LILLE DEMAIN

La mise en place, dans les quelques années qui viennent, de deux axes nouveaux de transport, le tunnel sous la Manche d'une part, le T.G.V. Nord d'autre part, va apporter à Lille des flux importants et donner à cette ville-centre déjà très active une dimension réellement européenne. Point de transit du futur lien fixe transmanche mais également point de jonction des différentes liaisons ferroviaires entre les villes de Paris, Londres, Bruxelles, Cologne et Amsterdam, la ville connaîtra une étape décisive dans son développement. C'est pourquoi il a été décidé la création d'un important Centre International d'Affaires autour de la gare. Renouant ainsi avec la fonction d'échanges qui l'avait fait naître, Lille sera prête à aborder le XXIe siècle.

[...]

Par son patrimoine, ses équipements mais aussi sa tradition culturelle et populaire, Lille constitue une Cité de culture intense et variée...

En plus de nombreux édifices civils et religieux de premier intérêt, Lille dispose de bâtiments classés qui méritent une découverte attentive (Hospice Comtesse, Vieille Bourse, Citadelle, Porte de Paris, etc.).

Par ailleurs, l'existence de plusieurs salles et théâtres permet de répondre aux exigences de spectacles de grande qualité : Auditorium du Palais des Congrès et de la Musique (2.000 places), Salle Espace (4.000 places), mais aussi Grand Théâtre de l'Opéra, Théâtre R.-Salengro et Théâtre Sébastopol, entre autres salles.

[...]

Lille reste enfin fidèle aux traditions locales. Ses deux géants légendaires, Lydéric et Phinaert, participent aux fêtes et ducasses qui animent la ville et ses quartiers, tandis que la traditionnelle Braderie de Septembre rassemble dans une gigantesque Foire à la brocante plus d'un million de visiteurs, le temps d'un week-end.

Pour vous aider

flâner to stroll
pôle d'emplois focus for employment
transmanche cross-Channel
liaisons ferroviaires rail links
renouant ainsi avec la fonction d'échanges qui l'avait fait naître thus reviving the trading role to which it owed its birth
ducasses fairs (term specific to northern France)
braderie jumble sale (held in the streets of a town)

The next *activité* works on your knowledge of link words (*mots charnières*), using the Lille brochure, which contains a lot of them.

Activité 4

15 MINUTES

1 Trouvez l'équivalent français des expressions ci-dessous, en regardant de nouveau le texte sur Lille.

(a) Furthermore, Lille has witnessed a marked development of the service sector. (troisième paragraphe)

(b) Lille is also host to numerous commercial shows each year... (quatrième paragraphe)

(c) ... as well as to internationally famous specialist exhibitions. (quatrième paragraphe)

(d) This is why the decision has been taken to create a major international business centre around the train station. (septième paragraphe)

(e) In addition to many civic and religious buildings of the greatest interest... (neuvième paragraphe)

(f) ... while the traditional September jumble sale brings together more than a million visitors. (onzième paragraphe)

2 Soulignez les mots charnières dans les expressions données ci-dessus et dans leur équivalent français. Par exemple, pour (a), soulignez 'furthermore' et 'par ailleurs'.

3 Parmi ces mots charnières, copiez dans votre dossier ceux qui ne vous sont pas familiers.

Building up your vocabulary

As you saw in Book 2 of *Valeurs*, where the verb *étudier* was used as an alternative to *faire*, one way of enriching your French is to build up a store of synonyms. For example, in the brochures you've just read the verb *disposer de* was used rather than *avoir* in the following phrases:

> **Disposant d**'une desserte exceptionnelle... Chambéry est une des villes les plus accessibles des Alpes.
>
> Chambéry **dispose des** compétences...
>
> Lille **dispose de** bâtiments classés...

Disposer de can be translated as 'to have at one's disposal'. It is a slightly more formal way of saying *avoir*. Thus we could translate the phrases above as follows:

> As it **has** exceptional transport links... Chambéry is one of the most accessible towns in the Alps.

Chambéry **has** the skills...

Lille **has** listed buildings...

In your own daily life you are more likely to say things like:

Je **dispose de** 30 000 francs pour acheter une voiture.

Je peux faire du sport parce que je **dispose de** pas mal de temps libre.

(By now you will have noticed that *disposer de* is a *faux-ami*, having nothing to do with the meaning of the English verb 'to dispose of'.)

Here are three more examples of verbs which you will often see used instead of *avoir*.

Cette usine ***bénéficie de*** *l'aide financière de la mairie.*
This factory **has** financial help from the *mairie*.

L'Australie ***jouit d'****un bon climat.*
Australia **has** a good climate.

Le château ***comprend*** *deux ailes et un bâtiment principal.*
The castle **has** two wings and a main building.

In your dossier, you might like to note these and any other synonyms of *avoir* which you come across later.

Having read the brochures describing life in Chambéry, Lille and Toulouse, you're now going to listen to a young couple's plans for moving to a different town (*Activités 5* and *6*) as preparation for working on a verb form – the conditional – which expresses plans, wishes and desires (*Activités 8, 9* and *10*).

Activité 5

15 MINUTES

AUDIO 1

Écoutez l'extrait, puis dites si les phrases ci-dessous sont vraies ou fausses. N'oubliez pas de corriger les phrases fausses, en français.

		Vrai	***Faux***
1	Olivier would like to live in Chambéry.	❑	❑
2	Olivier would like to live nearer his parents.	❑	❑
3	Olivier's wife would prefer to live in Lille.	❑	❑
4	Olivier's wife is of Flemish origin.	❑	❑
5	Olivier feels he definitely could not get used to living in the north.	❑	❑

6 Olivier and his wife would have trouble selling their house. ❑ ❑

7 Olivier thinks he could easily find a well-paid job in Chambéry. ❑ ❑

8 Olivier's children would love to live in Chambéry. ❑ ❑

The next *activité* focuses on the form of the verbs used in the dialogue you've just been listening to.

Activité 6

15 MINUTES

AUDIO 1

Réécoutez le dialogue et remplissez les espaces vides de la transcription ci-dessous avec les mots de l'encadré.

L'intervieweur	Olivier, si vous pouviez déménager, où ________________-vous vivre?
Olivier	Moi, si j'avais la possibilité, j' ________________ vivre à Chambéry, pour être plus près de mes parents.
L'intervieweur	Et votre femme?
Olivier	Elle, je crois qu'elle ________________ plutôt s'installer à Lille, elle est d'origine flamande, vous savez.
L'intervieweur	Si vous alliez à Lille, ________________-vous quand même vous habituer à vivre dans le Nord?
Olivier	Oui, je... enfin moi, je ________________ faire un gros effort. Mais nous ________________ quand même prendre le TGV de temps en temps pour aller à Chambéry.
L'intervieweur	Donc, vous m'avez dit hier que d'ici un an, ce ________________ le bon moment pour déménager?
Olivier	Euh, oui et non, d'une part je crois qu'on ________________ la maison assez facilement, mais d'autre part il ________________ que je trouve un emploi bien rémunéré là-bas et là j'________________ peut-être des difficultés.

L'intervieweur	Mais pour revenir à votre femme, vous ne croyez pas qu'elle ________________ le climat à Chambéry avec tous ces lacs, ces montagnes, c'est agréable non?
Olivier	Peut-être. Si nous vivions près des Alpes nous ________________ skier et elle adore ça. Quant aux enfants, eux, ils ________________ vivre là-bas.

serait, aimeriez, voudrait, devrais, vendrait, aimerait, adoreraient, irais, pourriez, faudrait, aurais, pourrions, irions

Forming the present tense of the conditional

The verbs you used to fill in the gaps in the last *activité* were all in the present tense of the conditional. Some of them, such as *voudrait* and *aimerait* may already be familiar to you. As its name suggests, the conditional is often used to describe a possibility or state of affairs, a plan, a wish, a desire, something which would occur if certain conditions were met. As you will see later in this section, it is often used with *si*, the French word for 'if'. Thus, in the dialogue you've been listening to, the opinions of Olivier and his wife are based on how they would feel if they had the opportunity to move.

> ***J'irais*** *vivre à Chambéry.*
> **I would go** to live in Chambéry.
>
> ***Elle voudrait*** *plutôt s'installer à Lille.*
> **She would** rather **settle** in Lille.
>
> ***On vendrait*** *la maison assez facilement.*
> **We would sell** the house quite easily.

English tends to use the word 'would' in front of the main verb to express possibilities, wishes, etc. In French, however, there is no direct equivalent of 'would'. Instead, French alters the main verb by adding conditional endings to it. Below we use the verb *venir* to demonstrate how to form the present conditional.

Take the **stem** of the **future** tense	je **viendr**ai
Add the **ending** of the **imperfect** tense (-ais, -ais, -ait, -ions, -iez, -aient)	je ven**ais**
And you have the **present conditional**	je **viendrais**

There were seven irregular verbs in the dialogue involving Olivier. In Book 2 of *Valeurs* you learned that many common verbs have irregular future stems. You should bear this in mind when forming the conditional tense.

In the next two *activités* you will practise forming the conditional by working on a text describing someone's idea of an ideal town.

Activité 7

15 MINUTES

Dans le texte qui suit, transformez les verbes entre parenthèses et mettez-les au conditionnel présent afin de faire le portrait d'une ville idéale.

> Ma ville idéale (est) dynamique, accueillante et accessible. Elle (dispose) de nombreux espaces verts et, tout en cultivant les racines de son avenir, (reste) fidèle aux traditions locales. Moi, je (veux) pouvoir habiter un quartier proche de la nature. Ainsi, mes amis et moi, nous (pouvons) profiter des paysages environnants pour pratiquer nos sports préférés. On (trouve) au centre-ville un réseau de rues piétonnes et de places entourées de cafés. Il y (a) très peu de voitures: les habitants de la ville (prennent) le tramway pour aller au travail et pour rentrer chez eux. Chaque été (a) lieu un grand festival de musique, les gens (viennent) de partout pour y assister. De temps en temps je (pars), mais jamais pour très longtemps. (C'est) vraiment la ville idéale!

Activité 8

10 MINUTES

Traduisez en français les phrases entre parenthèses pour compléter les petits dialogues ci-dessous.

1 – Tu me conseillerais de prendre le métro pour aller au travail?
– (**I** would take the bus to go there.)
Use the emphatic pronoun to translate 'I'.

2 – J'ai passé ma jeunesse à Monte-Carlo.
– (Oh, we would like to live in Monte-Carlo!)

3 – Comment feriez-vous pour financer un appartement aussi coûteux?
– (We would sell the car.)
Use *on*.

4 – C'est une maison très belle et reposante.
– (My grand-mother would love to come here on holiday.)
Use *adorer*.

5 – Pour les Fêtes, j'ai été invité à Orléans par ma cousine Lucile et à Valence par mon frère Emmanuel. À ma place, qu'est-ce que tu ferais?
– (I would go to Orleans for Christmas and to Valence for the New Year.)

Two irregular verbs very commonly used in the conditional are *pouvoir* and *devoir*. They sometimes cause difficulties to English-speaking learners of French. Here is some advice about learning and using them.

'Pouvoir' in the present conditional

When used in the present indicative, this verb has two meanings. Thus, *il peut* can translate the English 'he can' or 'he is able to', depending on the context. It follows that in the present conditional *il pourrait* means either 'he could' or 'he would be able to'. Thus:

> ***Pourrais-tu*** *me prêter 100 francs?*
> **Could you** lend/**would you be able to** lend me 100 francs?
>
> *Si on nous accordait cette bourse, nous* ***pourrions*** *faire des investissements importants.*
> If they gave us that grant, we **would be able to** make/**could** make significant investments.

Because you will often need to use this verb, you should try and learn the present conditional of *pouvoir* by heart from page 179 of your Grammar Book. Test yourself on it from time to time.

'Devoir' in the present conditional

In the present indicative this verb translates the English 'must'. Thus, *il doit* means 'he must'. In the present conditional English uses either 'should' or 'ought to'. Thus:

> *Il* ***devrait*** *venir me voir plus souvent.*
> He **ought to** come/**should** come to see me more often.
>
> *Vous* ***devriez*** *vous coucher plus tôt.*
> You **ought to** go/**should** go to bed earlier.

Because you will often need to use this verb, you should try and learn the present conditional of *devoir* by heart from page 167 of your Grammar Book. Don't forget to test your knowledge of it from time to time.

Activité 9
15 MINUTES

1 Traduisez en anglais les phrases entre parenthèses qui se trouvent dans les petits dialogues ci-dessous.

(a) – Even though you're out of work now, you can use your time valuably.

– (Par exemple, je devrais travailler comme bénévole?)

(b) – I never use cash, only credit cards.

– (Ah, eh bien, pourriez-vous m'expliquer comment utiliser une carte de crédit?)

(c) – I'm afraid she doesn't have the right qualifications for these jobs.

– (C'est vrai, elle devrait faire un stage avant de chercher un emploi.)

(d) – What do you fancy doing this weekend, going out or staying in?

– (On pourrait aller au cinéma ce soir et rester à la maison demain.)

2 Traduisez en français les phrases entre parenthèses qui se trouvent dans les petits dialogues ci-dessous.

(a) – Tu es toujours en retard!

– (I know. I ought to get up earlier.)

(b) – Elle est malheureuse parce qu'elle ne voit jamais son fils.

– (Yes, it's true, he should go to see his mother more often.)

(c) – J'ai l'impression que tu vas me demander quelque chose.

– (You're right. Could I borrow 500 francs?)

(d) – Si elle déménageait, elle serait trop loin du bureau.

– (But she would be able to take the bus to go to work.)

In the last *activité* of this topic you will practise using the present conditional in a speaking exercise. Imagine that you are working on the information desk at the *Office de Tourisme* (tourist information centre) in Lille, politely answering the questions of a Belgian tourist.

Activité 10

15 MINUTES

AUDIO 2

Écoutez l'extrait. Un touriste belge vient vous demander des renseignements pour faciliter son séjour à Lille. À vous de répondre à ses questions de la manière indiquée par les suggestions en anglais.

1.2 Vues de Nantes

The previous topic focused on the language used to advertise towns. In this topic you will watch a short video sequence and think about what images could be used to portray the quality of life in Nantes. The three *activités* associated with this topic will help you to consolidate what you have covered so far in this section.

Activité 11

15 MINUTES

VIDEO

1 Regardez toute la séquence vidéo 'Vues de Nantes' (61:37–63:20).

2 Lisez les seize descriptions ci-dessous. Dans cette liste d'images, onze seulement figurent dans la séquence vidéo. Lesquelles? Cochez-les pour indiquer votre choix.

(a) un film d'archive montrant un chantier naval ❑

(b) une usine très moderne ❑

(c) la statue d'une femme qui salue ❑

(d) un jeune couple qui discute à la terrasse d'un café ❑

(e) un TGV qui arrive à la gare SNCF ❑

(f) un homme qui prend le soleil, les yeux fermés, à la terrasse d'un café ❑

(g) un couple d'un certain âge qui semble revenir du marché ❑

(h) des gens qui entrent dans un théâtre ❑

(i) des gens qui jouent aux boules ❑

(j) une fontaine avec des statues ❑

(k) des travaux dans la rue ❑

(l) un quartier défavorisé de la ville ❑

(m) une femme qui promène son chien ❑

(n) des cafés qui sont ouverts la nuit ❑

(o) un musicien qui joue au coin de la rue ❑

(p) un jeune couple tendrement enlacé ❑

Activité 12

10 MINUTES

VIDEO

Regardez de nouveau la séquence (61:37–63:20) et remplissez les espaces vides de la transcription suivante avec les mots de l'encadré.

Nantes a une __________________ et __________________ histoire. C'était autrefois un très grand port. Aujourd'hui, le port a pratiquement __________________ . Sainte Anne salue, solitaire. Peu de marins lui demandent __________________ de nos jours! Mais la vie continue en ville. Les gens s'occupent de leurs affaires et de leurs soucis __________________ .

La municipalité __________________ de grosses sommes d'argent pour __________________ la qualité de la vie des Nantais, mais il faudra quand même qu'ils soient un peu __________________ . Elle a tiré parti des __________________ du passé et elle met en valeur les agréments de la ville moderne.

Pour vous aider

sainte Anne Saint Anne, the patron saint of sailors

a tiré parti de has drawn on

met en valeur highlights

les agréments the pleasant features

améliorer, protection, riche, investit, disparu, patients, longue, splendeurs, quotidiens

It's now time for you to take stock of what you have covered so far in this section by doing an *activité* which will also help you to consolidate your writing skills. Spend a few moments looking at the link words, the present tense of the conditional and the vocabulary you have studied in this section before continuing. The basis for the *activité* is a text in English describing which pictures (from the video sequence *Vues de Nantes*) might be used to create a TV advertisement for Nantes aimed at the UK tourist market.

Activité 13

35 MINUTES

Lisez le texte ci-dessous et traduisez-le en français.

> The first picture in the advertisement would be the castle since the British adore history. Given that they like to relax on holiday, I would also choose the picture of the man sleeping on the café terrace as well as the people playing boules. Nantes is a lively and dynamic town. This is why I would like to show the cafés open at night and the young people talking in front of a café. Furthermore, Nantes has a rich heritage, so we could include pictures of fountains and of the Saint Anne statue. In addition to these pictures, I would want to use the picture of the roadworks to illustrate the fact that the *mairie* is investing large sums of money. Finally, the advertisement would end with the picture of the couple embracing, to show that in Nantes you can find love.

1.3 L'effet Côte Ouest

When we filmed the video for this topic, the *mairie* of Nantes was promoting the town through a campaign broadcast on TF1, a major private TV channel. The campaign was created by the Nouvelle Vague agency, which used the phrase *'L'effet Côte Ouest'* as the key slogan of its campaign.

The main purpose of the *activités* in this topic is to help you express your opinions orally. First, you'll find out more about the advertising campaign as Antoine, an agency employee, explains to Marie-Noëlle why certain images of Nantes have been chosen to depict the quality of life offered by the city.

Activité 14

15 MINUTES

VIDEO

Regardez l'interview d'Antoine par Marie-Noëlle (63:30–65:40). Nous avons reproduit les quatre premières questions ci-dessous. Choisissez pour chacune la phrase qui résume le mieux la réponse donnée par Antoine.

1 Pourquoi Côte Ouest?

(a) Antoine chose this slogan to reflect the geographical location of Nantes and to appeal to American business interests.

(b) Antoine chose this slogan to reflect the geographical location of Nantes and to refer to values of West Coast America.

2 Pourquoi la mer et pas la Loire?

(a) The sea was chosen because it provided a more powerful inspiration. Furthermore, the Loire had already been used in other cities' advertising campaigns.

(b) The sea was chosen in preference to the Loire because the Loire is less strongly associated with Nantes than with several other French cities.

3 Pourquoi un couple?

(a) Antoine felt the picture of the couple would be more attractive than one of a father with his children or a young woman on her own.

(b) He didn't use just a couple. He used all sorts of people, such as a father, children and a young woman.

4 Et le TGV?

(a) The TGV was used because Nantes' proximity to Paris – it is two hours away by train – is one of its assets.

(b) The TGV was used to encourage Parisians – who are only two hours away by train – to come to Nantes.

Pour vous aider

on se réfère à we're referring to

le code the theme (given to the advertising campaign)

porteuse de evocative of

visuel picture (advertising language)

In the next *activité* we ask you to concentrate on the three short films (*les petits films publicitaires*, also referred to as *spots publicitaires*) produced by the agency. They illustrate how Antoine's ideas about the quality of life in Nantes can be conveyed in words, sounds and pictures.

Activité 15

15 MINUTES

VIDEO

1 Afin de vous préparer à regarder la séquence, lisez ci-dessous certaines caractéristiques des trois films publicitaires. Elles expriment ce que l'on voit à l'écran, ce que l'on entend sur la bande sonore et l'objectif principal de chaque film.

Les images vues à l'écran

(a) Des jeunes femmes qui font de l'aviron.

(b) Un père souriant avec deux enfants heureux.

(c) Un groupe de jeunes gens.

Les bruits de fond

(d) L'eau qui coule, un klaxon, des oiseaux.

(e) Des bruits de pas, des conversations animées.

(f) La mer, des goélands, des rires.

L'objectif du film

(g) Montrer que Nantes attire des jeunes par sa richesse culturelle, ce qui favorise aussi le développement industriel.

(h) Présenter Nantes comme une ville dotée de facilités sportives qui permettent aux habitants de rester en forme.

(i) Suggérer que la proximité de l'océan fait de Nantes un endroit idéal pour la santé et le bien-être de toute la famille.

2 Regardez la séquence (64:16–66:56) qui contient l'interview d'Antoine et les trois films publicitaires. En choisissant des phrases dans les trois listes ci-dessus, complétez le tableau suivant. À titre d'exemple, nous avons mis la phrase (e) dans la case qui décrit ce que l'on entend dans le deuxième film. À vous de remplir les autres cases.

No. du film	***Les images vues à l'écran***	***Les bruits de fond***	***L'objectif du film***
1 (64:16–64:32)			
2 (66:05–66:20)		(e)	
3 (66:42–66:56)			

In the last *activité* of this topic we want you to talk about two of the advertisements you have just watched. This will prepare you for the final topic in this section where two posters are discussed by employees from the Nouvelle Vague agency. It will also give you practice in structuring and presenting a monologue.

Structuring a monologue

At the end of Book 3 of *Valeurs*, when you practised writing an essay, you were asked to:

- present the issue in your introductory remarks;

- examine a main aspect of the issue and give your opinions on it;
- support what you were saying with examples;
- present a contrasting aspect of the subject;
- stress a point;
- generalize;
- conclude, preferably by committing yourself to one or other of the arguments you cited.

If you've ever had to make an oral presentation, you will have followed a similar pattern. However, an oral presentation also poses some different challenges. Below we provide suggestions to help deal with these. Some of the comments we make apply to recording your voice on to tape; the others are intended to prepare you for dealing with a 'live' audience.

- The audience needs to know what the purpose of your presentation is – whether, for example, you are addressing a very broad issue or whether you are focusing on one particular aspect. Your introductory remarks should be like a map for the listeners so that they know in advance roughly where you are taking them. This is reassuring for a listening audience, as they cannot read back what you've said.
- You don't want your audience to mistake an example for a main point, or to think you're supporting argument X when you're in favour of argument Y, or to think you're giving your own opinion when in fact you're quoting from someone else. This means that it is particularly important to use link words properly.
- An audience can answer back, so you need to be sure that your arguments are logical and are backed up by relevant examples. Having a few examples prepared on a cue card just in case can be a great help.
- Your audience may want to take notes or jot down questions for later, so you must take your time rather than pushing on relentlessly and leaving them one step behind.
- You may also like to pace your presentation by devoting a certain amount of time to each point, thus ensuring that you do not speak for too long.
- An audience may want to ask questions, so after your concluding remarks you should give them the opportunity to do so.
- Finally, don't forget the guidance we have already given you on techniques for speaking a foreign language successfully:
  - Make notes only. Do not write out the whole speech.
  - Make sure you are familiar in advance with the vocabulary you need.

Now's your chance to put some of this into practice. Imagine you represent the interests of the Nantes *mairie* and that the Nouvelle Vague agency has invited you to come and discuss the second and third advertisements which you saw earlier. One of your colleagues planned to give an oral presentation on the advertisements, but following a last-minute change to his schedule he asks you to take his place, leaving you with a few prepared notes. These notes form the basis for your oral presentation in *Activité 16*.

If you want to look at the *L'effet Côte Ouest* video sequence again before attempting *Activité 16*, here are the video counter numbers for the two advertisements under discussion: 66:05–66:20 and 66:42–66:56.

Activité 16

40 MINUTES

AUDIO 3

1 Votre collègue vous a préparé des notes (voir ci-contre). Lisez-les pour vous aider à parler des deux spots publicitaires.

2 Faites une présentation orale de deux minutes maximum en suivant le schéma créé par votre collègue. Si vous voulez, vous pouvez utiliser le vocabulaire et les mots charnières donnés ci-dessous.

Vocabulaire

le but, l'objectif, l'atout, l'agrément, le lien (entre X et Y)

convaincant(e), faible, impressionnant(e), original(e)

montrer, illustrer, évoquer, améliorer

Mots charnières

à mon/notre avis, par contre, je trouve que/nous trouvons que, selon moi/nous

par ailleurs, en revanche, de plus, ensuite

en ce qui concerne, à propos de

commençons par, disons que

j'ai/nous avons l'impression que, il me/nous semble que

pour résumer, pour conclure

3 Nous avons demandé à un Français, M. Chablis, de faire cette activité. Écoutez l'Extrait 3, où vous trouverez son monologue.

Notes for presentation on Nantes campaign

1. General evaluation
   a) state aim of campaign
   b) objectives fulfilled or not?
   c) third advert very persuasive
   d) second advert weak
2. Expand on third advert
   a) dynamic, shows off town facilities
   b) background sounds well chosen (harmony with nature)
   c) women are used on-screen to show sport (original idea, we liked it)
3. Expand on second advert
   a) TV viewer cannot tell that people on screen have been to cultural event
   b) industry of Nantes not portrayed
   c) suggest improvements, e.g. show concert sponsored by industry?
4. Conclusion / summary
   a) third advert tempts one to do sport here
   b) second advert doesn't show culture-industry link
   c) appreciate work done on this advert, but ask for remake

Vue de Nantes

In the last video sequence you watched, Marie-Noëlle asked Antoine to explain his choice of images to portray the quality of life in Nantes. He was subjected to a much tougher grilling by Laurence, his boss at the agency, who wanted to rehearse any objections the *mairie* might produce when asked to approve the campaign. She therefore questioned him twice on his rationale for the campaign posters, and these conversations make up the next two extracts on your audio cassette. The *activités* associated with these extracts teach you further uses of the present conditional and show you how to make and respond to criticisms.

Activité 17 will help you to understand the substance of Laurence's criticisms and the points made by Antoine in his attempt to refute them. Using *nous* and *on*, Laurence speaks for herself and for her colleagues.

Activité 17

10 MINUTES

AUDIO 4

Écoutez l'extrait, puis répondez en anglais aux questions ci-dessous.

1 Which picture has been used in the first campaign produced by Antoine?

2 What is Laurence's criticism of the choice of this picture?

3 What argument does Antoine use to counter this criticism?

4 Which picture has been used in the second campaign produced by Antoine?

5 Do Laurence and her colleagues think this picture is any better than the one in the first campaign?

6 What is Laurence's criticism of the choice of this picture?

7 What argument does Antoine use to counter this criticism?

Pour vous aider

avant de voir Nantes before meeting with the *mairie* of Nantes (Laurence's shorthand for saying this)

sur laquelle on which

l'accroche slogan (advertising term, literally 'hook')

la énième the umpteenth

une mutuelle a mutual benefit society (to which one can make insurance contributions)

In the next extract Antoine is questioned again by Laurence. The content of the argument is much the same as in the last extract you listened to, so this time we want you to concentrate on **how** the criticism is made and refuted.

Activité 18

10 MINUTES

AUDIO 5

1 Dans la conversation de Laurence et d'Antoine, nous avons isolé les expressions qui présentent ou réfutent une critique et nous les avons reproduites dans les phrases incomplètes qui suivent. D'abord, lisez-les.

(a) Laurence: 'Il y a un visuel sur lequel _______ _______ _______ __________ , on est embêtés.'

(b) Laurence: 'On remontre encore un bâtiment, _______ _______ _______ _________________ .'

(c) Antoine: 'Non, pour le bâtiment, tu _______ _______ , c'est pas la campagne _______ ___________ ___________ que l'on recommande.'

(d) Laurence: 'Quand on parle de la deuxième campagne, ___________ _______ tu _______ _______ qu'on peut nous faire le reproche de montrer encore un couple heureux?'

(e) Antoine: '… qui parle des gens, et qui dit, _______ _______ , à Nantes, on est bien. _________________ : on est bien, il y a une qualité de vie qui est bonne.'

2 Écoutez l'extrait une première fois.

3 Réécoutez l'extrait et remplissez les trous des phrases (a)–(e) ci-dessus.

Pour vous aider

la xième the umpteenth (synonym for *la énième*)

le Crédit-je-(ne-)sais-pas any old bank (a phrase invented by Antoine)

We shall now focus on some of the language used by Antoine and Laurence in the *activités* you have been working on.

Giving criticism

Below we list two instances where Laurence criticizes Antoine's work, one from each of the audio extracts you have studied. The first is a polite reservation, the second a direct attack.

> *On trouve que c'est pas tout à fait assez différent.*
> We feel it's not really different enough.

> *C'est pas très original.*
> It's not exactly original.

Using one or more adverbs (*tout à fait, assez, tellement,* etc.) makes your criticism sound polite, particularly if you put in the negative in its full form. Stating your opinions directly and dropping the negation can sound very blunt. Here's another pair of examples.

> ***Ce n'est pas tout à fait assez*** *cuit.*
> It's not quite done enough yet. (a constructive comment)

> ***C'est pas très*** *cuit!*
> It's not cooked through! (a complaint)

Laurence also asked Antoine a rhetorical question, a signal to him that a criticism was coming up.

> ***Tu crois pas qu'****on peut nous faire le reproche de montrer...*
> Don't you think that they can criticize us for showing...

Again, the effect could have been softened by using the full negation.

> ***Est-ce que tu ne crois pas que nous devrions*** *changer de méthode?*
> Do you not think we should use a different method?

Here are a few more examples which you might find useful if you want to express a critical opinion.

- You could clothe your criticism in the guise of disappointment:

  Je suis déçu(e) de *ces résultats.*
  I'm disappointed with these results.

  Ces résultats sont un peu/plutôt/très ***décevants****.*
  These results are a bit/rather/very disappointing.

- You might like to soften these remarks with phrases suggesting that you have the unpleasant duty to be truthful:

  J'avoue que *je suis déçu(e) de ces résultats.*
  I must say (that) I'm disappointed with these results.

  Je dois dire que *ces résultats sont un peu/plutôt/très décevants.*
  I have to say (that) these results are a bit/rather/very disappointing.

  Franchement*, je trouve que tu ne travailles pas assez vite.*
  Frankly, I feel (that) you don't work fast enough.

- You might want to preface your criticism with a slight apology:

  Je suis désolé(e)*,* ***mais*** *je sais que vous êtes capable de faire mieux.*
  I'm sorry, but I know (that) you can do better.

- You could also attack the things said by your 'opponent'. This too can be done more or less bluntly:

  Ce que tu dis n'est pas très convaincant.
  What you're saying isn't very persuasive.

  Or, much more directly (and therefore to be used only with people you know well):

  Tu dis n'importe quoi!
  You're talking rubbish! (literally 'you're saying anything at all')

- Sometimes you can just use certain link words to signal a contrast. Remember the following words from the audio extract:

  Bon, parlons de la deuxième. Nous, on trouve qu'elle est... plus intéressante; ***par contre****, ce qu'on peut nous reprocher...*
  OK, let's talk about the second one. We find it more interesting; **on the other hand**, we could be criticized for...

  The phrase *par contre*, meaning 'on the other hand' and occurring after a compliment (*plus intéressante*), is a signal to Antoine that Laurence is about to follow her compliment with a criticism.

You could copy the above phrases into your dossier. This will help prepare you for the next *activité*, where you practise giving criticism. You are again representing the *mairie* of Nantes, but this time, rather than giving a formal oral presentation, you find yourself in conversation with Max, one of the advertising agency employees.

Activité 19

20 MINUTES

AUDIO 6

1 Relisez le corrigé de l'Activité 16 critiquant certains aspects du film qui est supposé illustrer la richesse de la culture et de l'industrie de Nantes.

2 Pour vous préparer à participer à la conversation, traduisez par écrit les phrases ci dessous.

(a) Frankly, I feel it's not very persuasive.

(b) We asked you to show a concert sponsored by the société Infotec, but you have not done it.

(c) I'm sorry, but this building does not look like a theatre.

(d) Listen, I must say we are very disappointed.

(e) Yes, he finds the second advertisement rather disappointing.

3 Écoutez l'extrait dans lequel on vous demande votre avis sur ce spot. À vous de formuler des reproches en suivant les suggestions en anglais.

In his frank discussion with Laurence, Antoine replies assertively to the criticisms she makes. We now take a closer look at the language he uses.

Replying to criticism

In the first column of the tables below we list the words and phrases in Extracts 4 and 5 that Antoine used to defend himself. The second column contains an irreverent interpretation of what he could be thinking, and in the third an English translation of what he says.

Extract 4

Ce qu'il dit	*Ce qu'il pense*	*Ce que ça veut dire*
tu sais très bien	I shouldn't have to tell you this	you know full well
c'est vrai, mais...	I'll concede a point, but I'm about to tell you how wrong you are	that's/it's true, but...

Extract 5

Ce qu'il dit	*Ce qu'il pense*	*Ce que ça veut dire*
c'est pas la campagne de toute façon que l'on recommande	whatever your point is, your criticism is irrelevant	it is not the campaign in any case that we're recommending
résumé	I know exactly what I'm saying and here comes my last word on the matter	in summary

In addition, Antoine uses a number of 'fillers' to maintain the momentum of his defence. Consider in particular the following extract from the reply he makes justifying his use of a happy couple. The 'fillers' are in bold.

> On s'attend en voyant ça peut-être à voir le Crédit-je-(ne-)sais-pas, **hein**, **et non**, c'est une ville qui parle, qui parle avec des gens, qui parle des gens, et qui dit, **en fait**, à Nantes, on est bien...

An English version of Antoine's reply would be something like this:

> When you see that, you expect to see any old bank, **right, but no**, this is a town talking, talking through its people, talking about its people and saying, **in fact**, life is good in Nantes...

You're now going to practise replying to criticism using some of this language. In the audio extract associated with *Activité 20* we return to Olivier, the *cadre* we heard interviewed in *Activité 5*. Since we last heard from him, he has applied for a job in Chambéry, but his wife Christine criticizes him for wanting to live so far from her native north.

Activité 20

15 MINUTES

Écoutez l'extrait. Prenez le rôle d'Olivier et répondez aux reproches de sa femme Christine en suivant les suggestions en anglais. Utilisez 'tu' pour traduire 'you'.

Earlier in this section you learned how to form the present conditional tense. We are now going to consider how this tense is used in *si* clauses.

Using the present conditional with 'si' clauses

The conditional is used primarily to describe future possibilities, things which would occur **if** certain conditions were met. In French the word *si* is used to translate 'if' (see topic 1.1 in Book 2 of *Valeurs*). Overleaf we list some sentences spoken by Olivier in Audio Extract 1.

Condition	*Imagined consequence*
Si j'avais *la possibilité...* If I had the opportunity...	*...**j'irais** vivre à Chambéry.* ... I would go to live in Chambéry.
Si nous vivions *près des Alpes...* If we lived near the Alps...	*... **nous irions** skier.* ... we would go skiing.

You can see that conditional sentences using *si* are usually made up of a condition and an imagined consequence. The order in which these are stated doesn't matter. For example, the sentences in the table above could be re-ordered as follows:

Imagined consequence	*Condition*
J'irais *vivre à Chambéry...* I would go to live in Chambéry...	*... **si j'avais** la possibilité.* ... if I had the opportunity.
Nous irions *skier...* We would go skiing...	*... **si nous vivions** près des Alpes.* ... if we lived near the Alps.

From these examples you should also be able to deduce a basic rule: that in conditional sentences involving the present conditional, the verb immediately after *si* is in the imperfect tense and **not** in the conditional – *si j'avais, si nous vivions.* It's worth noting this rule in your dossier.

The same rule applies when interrogative or negative examples are used.

> *Si vous pouviez déménager, où aimeriez-vous vivre?*
> If you could move, where would you like to live?
>
> *Si on choisissait un bâtiment à mettre sur une affiche, on ne choisirait pas le théâtre.*
> If we chose a building to put on a poster, we wouldn't choose the theatre.

In *Activité 21* you can find out if you understand this construction. *Activité 22* gives you the opportunity to practise it.

Activité 21

15 MINUTES

1 Complétez les cinq phrases ci-dessous en choisissant la condition ou la conséquence qui convient, parmi les exemples donnés dans l'encadré.

(a) ____________________________________ , sa femme ne serait pas heureuse.

(b) Si on montrait le château dans une publicité sur Nantes, ____________________________________ .

(c) Il y aurait beaucoup plus de personnes sans domicile fixe

____ .

(d) ____ ,

les jeunes du quartier feraient un plus gros effort pour respecter leur environnement.

(e) ______________________________ si les vendeurs étaient moins convaincants.

- si la cité de Bellevue était plus belle
- si Olivier allait vivre à Chambéry
- si l'association Emmaüs n'existait pas
- je dépenserais moins d'argent
- les touristes britanniques passeraient par ici

2 Maintenant traduisez en anglais les phrases entières.

Activité 22

15 MINUTES

Traduisez en français les phrases entre parenthèses pour compléter les petits dialogues ci-dessous.

1 – Pourquoi ne pars-tu pas en vacances?

– (I would go on holiday if I had enough time.)

2 – C'est une jolie ville, mais il y a quelque chose qui manque.

– (In my opinion, if the town had more trees, it would be prettier.)

3 – Tu te rends compte! Demain, je serai peut-être très riche!

– (If you won one million francs, how would you spend the money?)

4 – Franchement, je trouve qu'ils sont de moins en moins sociables. Avant, nous allions au théâtre avec eux.

– (They would go to the theatre more often if they didn't have children.)

5 – Elle a envie de partir? De quitter son emploi et sa maison?

– (Yes, if she finally managed to sell her house in London, she would settle in France.)

In the last *activité* in this section you will revise some of the vocabulary describing town amenities and some of the expressions for criticizing that you have seen so far in this book.

1 La municipalité de Saint-Christophe, où vous venez de passer trois mois, a élaboré un questionnaire sur la qualité de la vie dans la localité. D'abord, lisez-le.

La mairie de Saint-Christophe est à l'écoute de ses visiteurs

Merci de bien vouloir remplir ce bref questionnaire, afin que nous puissions continuer à améliorer la vie de notre commune.

▲ À Saint-Christophe, nous sommes fiers de l'accueil chaleureux que nous réservons à nos amis de passage dans notre ville. Veuillez donner vos impressions de l'accueil qui vous a été fait par les habitants.

▼

▲ Qu'avez-vous pensé de notre centre-ville, ses rues, ses boutiques, ses équipements, etc ?

▼

▲ Saint-Christophe dispose de nombreux espaces verts. Avez-vous profité de nos parcs et jardins ?

▼

▲ Saint-Christophe a un riche patrimoine culturel. Quels bâtiments et monuments avez-vous particulièrement appréciés ?

▼

2 Répondez en français au questionnaire. Pour cela, aidez-vous des critiques qui vous sont suggérées ci-dessous en anglais afin de décrire votre décevante expérience de Saint-Christophe. Notez que (a) se réfère au premier encadré du questionnaire, (b) au deuxième, etc.

(a) The local people aren't very welcoming. In fact, you've just spent three months entirely on your own.

(b) The pedestrianized streets are rather pleasant. On the other hand, you expected to see less traffic. Furthermore, you think that the municipality could make some effort to improve the public transport network.

(c) Yes and no. There are many green areas, but they're slightly disappointing. What one could criticize is the lack of play facilities for children.

(d) The château is one of the town's major assets according to the brochures, but you didn't manage to visit it and in any case you're not keen on antique furniture.

Faites le bilan

When you have finished this section of the book, you should be able to:

- Recognize and use a range of link words (*Activités 4* and *16*).
- Use some of the language of criticism (*Activités 18, 19* and *20*).
- Use the present conditional (*Activités 7, 8, 9, 10, 13* and *20*).
- Use *si* clauses with the imperfect and the present conditional (*Activités 21, 22* and *23*).

Vocabulaire à retenir

1.1 Les villes font leur pub

vanter un produit/la qualité de quelque chose

innovateur, -trice

morne

accueillant, e

vivant, e

une capitale

fier de, fière de

un salon (international)

une rue piétonne

le tunnel sous la Manche

par ailleurs

c'est pourquoi

en plus de

tandis que

s'installer à Lille/Londres/Rome

s'habituer à vivre à Paris/Londres/Rome

1.2 Vues de Nantes

prendre le soleil

des travaux (m. pl.)

un quartier défavorisé

disparaître

un souci

quotidien, -enne

investir

un patrimoine

1.3 L'effet Côte Ouest

un atout

évoquer

convaincant, e

un téléspectateur, une téléspectatrice

une campagne publicitaire

(avoir) un but

respecter l'environnement

décevant, e

2 Le tramway nantais

STUDY CHART

	Topic	Activity/timing	Audio/video	Key points
1 hrs 50 mins	*2.1 Hier et aujourd'hui*	24 (15 mins)	Video	Advantages of trams compared with buses
		25 (20 mins)		Making comparisons between what is and what might be
		26 (15 mins)	Video	Revising numbers and dates
		27 (10 mins)	Video	Advantages of trams compared with a metro system
		28 (15 mins)	Video	Listening for link phrases
		29 (20 mins)		Using link phrases to stress a point
35 mins	*2.2 Attention, travaux!*	30 (25 mins)	Video	Understanding the Nantais' opinions on the transformations in their town centre
50 mins	*2.3 Un peu d'histoire*	31 (15 mins)	Audio	Understanding a sequence of events
		32 (15 mins)	Audio	
		33 (10 mins)		Using the pluperfect tense

In this section we look at how Nantes, faced with traffic problems, has returned to the tram, apparently a transport system of the past. The first topic, *Hier et aujourd'hui*, provides some of the historical background and shows how the re-introduction of the tram attempts to address modern conditions in Nantes. We then focus on a tram company official and the language he uses to argue with our interviewer about the advantages of the tram. Next, in *Attention, travaux!*, you will watch a video sequence showing the effects of the tram project on life in the town centre. Finally, *Un peu d'histoire* traces the history of the Nantes tramway and gives you practice in following sequences of events.

At this stage of the course, you might like to test your understanding of a whole video sequence before you start your detailed study of it. The video material for *Le tramway nantais* was made with this possibility in mind. It is a complete mini-documentary which you should be able to enjoy as you would a film made in your mother tongue, even though in this case you may not be able to understand every word at first.

2.1 Hier et aujourd'hui

Is the new Nantes tramway system a good thing? The video sequence you are about to watch shows what the local people and the director of the tram company think about this. The sequence is also the basis for further practice in understanding comparisons and in using the present tense of the conditional.

In the first *activité* in this topic you are asked to understand what people interviewed in the street think about the tram system, as they compare it with the bus.

Activité 24

15 MINUTES

VIDEO

Regardez la première partie de la séquence vidéo 'Hier et aujourd'hui' (67:29–68:07), puis notez les avantages du tramway selon ses utilisateurs, en remplissant les trois colonnes du tableau ci-dessous. Classez vos expressions selon les trois critères de confort, rapidité/régularité, et aspect écologique. Si l'expression inclut une comparaison (*moins*, *plus*), n'oubliez pas de la noter aussi. À titre d'exemple, nous avons mis 'moins bousculé' dans la colonne 'Le confort'.

Le confort	*La rapidité/la régularité*	*L'aspect écologique*
moins bousculé		

In the next *activité* we ask you to imagine that you live in a town which is planning to build a tram system.

Activité 25

20 MINUTES

Si vous habitiez une ville où circule un tramway, que penseriez-vous de ce moyen de transport et des avantages qu'il apporterait dans votre vie quotidienne? Utilisez le conditionnel présent ainsi que les expressions que vous avez apprises dans la dernière activité pour écrire à peu près cinquante mots en partant de la phrase ci-dessous:

> S'il y avait le tramway, la ville serait plus calme, il y aurait moins de circulation...

The next video sequence provides a history of how the first tram service was born in Nantes, its subsequent disappearance and then an explanation of how the second tram system came into being. As you listen to the explanations given by Maudez Guillossou, the managing director of the SEMITAN tram company, you'll also be able to check your accuracy in recognizing numbers and dates.

Activité 26

15 MINUTES

VIDEO

Regardez la deuxième partie de la séquence (68:20–70:50), puis décidez si les affirmations ci-dessous sont vraies ou fausses. Corrigez les fausses en anglais.

		Vrai	*Faux*
1	The original service lasted for about sixty years.	❑	❑
2	The first new tram line was built in 1974.	❑	❑
3	Since 1984, the number of Nantais in favour of a tram system has nearly halved.	❑	❑
4	According to Maudez Guillossou, the mayors of the twenty local *communes* support the scheme.	❑	❑

Pour vous aider

le tramway est passé de mode the tramway went out of fashion

The choice for Nantes was between a metro system similar to that in Paris, Lyons or Newcastle-upon-Tyne and a tramway. Maudez Guillossou discusses the reasons why the municipality chose a tram rather than a metro system. In *Activité 27* you'll work on the gist of the argument and in *Activité 28* you'll focus on details of the language used to highlight parts of the argument.

Activité 27

10 MINUTES

VIDEO

1 Regardez la troisième partie de la séquence (71:05–73:33).

Pour vous aider

performant highly effective

on l'enterre it gets buried

ce qui oblige à une autre politique du partage de la rue which forces you into a different policy in terms of sharing space on the road

2 Répondez en anglais aux questions suivantes:

(a) In reply to Marie-Noëlle's first question, Maudez Guillossou says that the metro has certain advantages, but what is the main disadvantage he cites?

(b) Marie-Noëlle in turn advances an argument in favour of the metro over the tram. What does she say?

(c) Which two things can underground travellers not do, according to Maudez Guillossou?

(d) How does Maudez Guillossou deal with Marie-Noëlle's objection that sometimes she would rather go by car?

The next *activité* is intended to help you develop the way you listen to arguments by isolating the link phrases Maudez Guillossou and Marie-Noëlle use to argue for the tram and the metro, respectively.

Activité 28

15 MINUTES

VIDEO

Regardez à nouveau la séquence vidéo à partir de 71:05 et cette fois-ci jusqu'à 72:29. Écoutez la conversation entre Maudez Guillossou et Marie-Noëlle. Mettez dans les trous les expressions qu'ils utilisent pour renforcer leurs propos.

Marie-Noëlle	Pourquoi avez-vous choisi de construire un tram dans la ville de Nantes?
Maudez Guillossou	Euh, au lieu d'un métro par exemple, ou...
Marie-Noëlle	Oui, par exemple, au lieu d'un métro...

Maudez Guillossou	Parce que le métro ________________ est un système très intéressant, performant, moderne, _______ très cher. Il coûte quatre à cinq fois plus cher qu'un tramway. C'est la raison pour laquelle nous avons choisi de faire un tramway moderne.
Marie-Noëlle	_______ le métro, on l'enterre, ___________ _______ le tram, il prend de la place, dans les rues de la ville...
Maudez Guillossou	C'est l'avantage du tramway, _______ ________________ _______ prendre un peu de place, ce qui oblige à une autre politique du partage de la rue, _______ _______ _______ qu'il permet de, de voir la ville, de vivre dans la ville, _______ _______ , lorsque vous devez descendre dans le métro, vous êtes sous terre, vous ne voyez plus la ville. Vous n'êtes plus en communication avec la ville.

Stressing your point

In the video sequence you've just watched, you heard a polite argument between Maudez Guillossou and Marie-Noëlle. The link phrases they used in order to stress points are shown in bold in the *corrigé* to *Activité 28*. Here they are again.

Conceding a point before objecting to it

effectivement ... mais
admittedly ... but

Introducing a contrasting point

mais ... alors que/mais ... tandis que
but ... whereas

Adding a more important point

non seulement ... mais en plus
not only ... but on top of that

Link phrases such as these prepare your listener or reader for the fact that you are about to introduce an objection, a contrast or something more important than what has come before. You can make these points even if you do not use link phrases, but you will sound much more effective if you do. In the next *activité* you can practise putting them into the right context.

Activité 29

20 MINUTES

1 Lisez les dialogues incomplets qui suivent.

(a) – Je ne sais pas comment les gens peuvent supporter de s'enterrer dans le métro tous les matins et tous les soirs.

– Il y a du monde, c'est vrai. _______ le métro, c'est bon marché _________________________ le billet de tram coûte cher.

(b) – Je te plains, tu as un long trajet à faire pour aller à ton bureau!

– _______________ , _______ je travaille chez moi trois jours sur cinq.

(c) – Les rues sont encore plus dangereuses pour nous, pauvres piétons, maintenant qu'il y a les trams.

– Tout à fait, parce que ______________________ ils sont rapides, ______________________ ils sont silencieux.

(d) – À quoi ça sert d'avoir déménagé, puisque tu ne veux jamais profiter du week-end pour aller skier?

– _______________ , _______ l'année prochaine j'aurai moins de travail et on pourra aller régulièrement à Chamonix.

(e) – Il paraît que vous n'aimez pas l'affiche que nous vous avons préparée pour la campagne 'Vendre la ville'? Pourtant toute notre équipe y a collaboré.

– D'accord, vous avez beaucoup travaillé dessus. _______ vous montrez un bâtiment industriel ____________________________ nous voulons illustrer les équipements sportifs de la ville!

(f) – Elle est bien, la nouvelle collègue.

– Oui, ______________________ elle a de l'expérience, _________ ____________ elle sait communiquer.

2 Dans chaque trou des dialogues, mettez une des cinq expressions qui suivent:

- alors que (*or* tandis que)
- effectivement
- mais
- mais en plus
- non seulement

2.2 Attention, travaux!

The rest of the video material deals with some controversial aspects relating to the building of the tramway. Through interviews with five people we find out how the construction of the tramway is affecting the streets of Nantes. We hear opinions about the construction works, about the effect on the commercial life of the city and about the environmental consequences of building a tram network.

Les trams dans la ville

Activité 30

25 MINUTES

VIDEO

Lisez les questions ci-dessous. Ensuite, visionnez la séquence vidéo 'Attention travaux!' (73:41–80:36) et cochez la réponse aux questions, en arrêtant la bande aux endroits indiqués, si vous en avez besoin. Il y a une seule bonne réponse par question.

1 Regardez la séquence (73:41–74:03) et choisissez ce que dit Lucie.

(a) c'est pas très joli, effectivement ❏

(b) ça sera pas fini avant très longtemps ❏

2 Regardez la séquence (74:04–74:21) et trouvez la phrase qui décrit correctement ce que l'on voit à l'écran.

(a) une carte régionale montrant la Loire et l'Erdre ❏

(b) un plan de ville montrant la Loire ❏

3 Regardez l'interview de François (74:22–74:52) et trouvez l'expression qui résume le sujet de sa conversation.

(a) il parle des gens habitant la périphérie de la ville ❏

(b) il parle des passionnés qui trouvent les trams très intéressants ❏

4 Dans la séquence (75:15–75:52), comment Alain Weber décrit-il le symbole des chantiers du tram?

(a) sympathique ❑

(b) amusant ❑

5 Dans son interview (75:52–76:09), que déclare Maudez Guillossou?

(a) le chantier ne sera pas éternel ❑

(b) aucun arbre n'est éternel ❑

6 Regardez la séquence (76:20–76:59). Daniel estime que la municipalité a mal choisi les arbres qui vont être plantés après les travaux. Il décrit l'arbre choisi comme:

(a) un arbre d'Afrique ❑

(b) un arbre en plastique ❑

7 Dans sa deuxième interview (77:00–78:06) François se plaint. À cause des travaux, il ne sait jamais ce qui va se passer dans sa rue le lendemain. Il dit:

(a) un jour y a une pelleteuse, un jour y a rien du tout ❑

(b) un jour y a une pelleteuse, un jour y a un grand trou ❑

8 Quand il est interviewé pour la deuxième fois (78:07–79:00), Daniel dit qu'autrefois on appelait Nantes:

(a) Venise-sur-Erdre ❑

(b) Venise de l'Ouest ❑

Attention, travaux!

2.3 Un peu d'histoire

In this topic you'll follow the sequence of events related by Pierre-François Gérard, as he describes the key dates in the story of the old tramway network. Then you'll work on a conversation featuring events that took place in the 'past within the past'. The grammar work associated with this topic introduces you to the pluperfect tense.

Activité 31

15 MINUTES

AUDIO 8

1 Lisez les descriptions données en anglais ci-dessous.

(a) halted the electrification of the lines

(b) the first tramway began running along the Loire

(c) the old tram network disappeared

(d) the network was modernized to run on electricity

(e) the town centre was destroyed by bombs

(f) the tram was powered by compressed air

(g) the tram network spread to the suburbs

(h) transport policy in France favoured private transport over public transport

2 Écoutez l'extrait et associez les dates qui suivent aux événements décrits ci-dessus.

(i) In 1875

(ii) Between 1875 and 1913

(iii) In 1913

(iv) World War I

(v) After the war

(vi) In September 1943

(vii) On 21 January 1958

(viii) Between 1958 and 1973

Pour vous aider

la traction à air comprimé compressed air power

a dû semer le désordre must have disrupted

a freiné halted

l'étape suivante the next stage

In the next audio extract Odile talks to Marc about a tramway which, despite advanced preparations, never quite saw the light of day in her town. Before you listen to the extract, spend a few moments thinking about the meaning of the English past tense used in questions 2, 3 and 5 in *Activité 32*.

Activité 32

15 MINUTES

AUDIO 9

Écoutez l'extrait et répondez en anglais aux questions ci-dessous.

1 With whom was Odile working on the tramway project?

2 What had Odile and her colleagues prepared?

3 What had started in the spring of 1989?

4 What was due to happen on 13 May?

5 What had Odile done on 6 May?

6 Why did the police go the director's house on 7 May and what did they discover?

Pour vous aider

les spots... devaient être diffusés the advertisements were to be broadcast

tout était annulé everything was cancelled

que les ingénieurs n'avaient pas prévu which the engineers had not anticipated

Recognizing and using the pluperfect tense

The extract you have been working on included several examples of a verb form you may not have met before – the pluperfect (*le plus-que-parfait*). Here are some of them.

> *On **avait réussi** à préparer une bonne campagne publicitaire.*
> We **had managed** to prepare a good advertising campaign.
>
> *J'**avais téléphoné** à mes collègues.*
> I **had telephoned** my colleagues.
>
> *Il **avait disparu**.*
> He ***had disappeared***.
>
> *Il n'**était** pas **venu** au bureau.*
> He **had** not **come** to the office.

The pluperfect tense is used to convey what **had** happened or what somebody **had** done. You can think of it as being one step further back in the past than the perfect tense, which describes what **has** happened or what someone **has** done. As a general rule, you should use this tense in the same situations as you would use the pluperfect in English (which is what we did when we asked questions 2, 3 and 5 in *Activité 32*).

You form the pluperfect by combining the imperfect of the auxiliary verb (*avoir* or *être*) with the past participle of the main verb. Verbs taking *être* in the perfect will also take it in the pluperfect. The past participle agrees with the number and gender of the subject. Thus: *il était venu* but *elles étaient venu**es***. An example of the pluperfect with *avoir* is in your Grammar Book, p. 103, para. 2(b); an example with *être* is on p. 105, para. 3(b).

You will meet the pluperfect again when it is used with the conditional in Section 3 of this book, but the next *activité* gives you some initial practice in understanding and using it.

Activité 33

10 MINUTES

Traduisez en français les phrases entre parenthèses pour compléter les petits dialogues ci-dessous.

1 – Dis donc, tu as des nouvelles de Patrice, il devait venir, non?

– (He came to our house at 2 p.m., but we had already gone out.)

2 – Je croyais qu'Anne-Marie et toi, vous mangiez 'Chez Félix' ce soir. Alors, finalement non?

– (I invited Anne-Marie to the restaurant, but she had already eaten on the train.)

3 – Pascal était depuis longtemps à la rue?

– (When he arrived at Emmaüs, he had already spent three months without a fixed address.)

4 – Pourquoi avez-vous commencé à faire des économies?

– (Because I realized that I had spent too much money.)
Use *s'apercevoir*.

5 – Et vous l'avez vue pour la dernière fois à midi? Que faisait-elle ce jour-là?

– (She had spent the morning writing job application letters.)

Faites le bilan

When you have finished this section of the book, you should be able to:

- Make comparisons between what is and what might be (*Activité 25*).
- Stress a point using link phrases (*Activités 28* and *29*).
- Recognize and use the pluperfect tense (*Activités 32* and *33*).

Vocabulaire à retenir

2.1 Hier et aujourd'hui

le tramway

le confort

la rapidité

pratique

régulier, -ère

polluant, e

la circulation

circuler plus facilement

le réseau

prendre de la place

performant, e

la politique

les transports publics

silencieux, -euse

2.2 Attention, travaux!

un plan de (la) ville

un libraire, une libraire

symboliser

arracher

2.3 Un peu d'histoire

freiner

le transport individuel

le transport collectif

une période critique

prévoir quelque chose/prévoir que

3 C'est quoi, la qualité de la vie?

STUDY CHART

	Topic	Activity/timing	Audio/video	Key points
1 hr 15 mins	*3.1 Hélène et Brigitte*	34 (10 mins)	Audio	Revising the present conditional
		35 (15 mins)	Audio	
		36 (20 mins)	Audio	Expressing disagreement
1 hr 45 mins	*3.2 Amoureuse de sa poubelle*	37 (10 mins)	Audio	Domestic waste recycling
		38 (10 mins)	Audio	Listening for liaison
		39 (10 mins)	Audio	Making and avoiding liaison
		40 (10 mins)	Audio	A waste recycling plant on the doorstep?
		41 (15 mins)		Using the past conditional
		42 (15 mins)	Audio	
		43 (20 mins)	Audio	Presenting a case for domestic waste recycling
1 hr 40 mins	*3.3 Le stress au boulot*	44 (40 mins)		Reading and summarizing a magazine article
		45 (20 mins)		Understanding detail in a magazine article
		46 (20 mins)		Using *si* with the pluperfect and past conditional
		47 (10 mins)		Using *il faut que* to say what must be done
1 hr 30 mins	*3.4 Sait-on prendre le temps de vivre?*	48 (25 mins)	Audio	Understanding viewpoints about quality of life
		49 (50 mins)		Writing about your own quality of life

In this section we continue to explore the quality of life, but with more emphasis on individuals. In *Hélène et Brigitte* two friends argue about the importance they place on health, friendship and work. *Amoureuse de sa poubelle* introduces us to someone with strong ecological convictions and then, in *Le stress au boulot,* we find out how an over-stressful working life affects your well-being and what possible remedies there might be. Finally, in *Sait-on prendre le temps de vivre?,* we hear three people's definitions of what quality of life means to them.

In this section you'll get another chance to practise your oral presentation, reading and essay-writing skills.

3.1 Hélène et Brigitte

From your work on a conversation between two friends, Hélène and Brigitte, you'll revise what you learned in Section 1 about using *si* with the imperfect in conditional clauses and you'll practise some more ways of expressing disagreement.

Activité 34

10 MINUTES

AUDIO 10

Écoutez l'extrait, puis répondez en anglais aux questions suivantes.

1 What two reasons does Hélène give for being so fed up?

2 By comparison with Hélène, does Brigitte think work is more or less important?

3 According to Hélène, what should an employer **not** do?

4 According to Brigitte, how would real friends stay in touch with you if you were very busy?

5 Do Brigitte and Hélène agree or disagree that one's health is very important?

To help you focus on how sentences containing the conditional are used, the next *activité* asks you to transcribe five examples from the conversation you have been listening to.

Activité 35

15 MINUTES

AUDIO 10

Réécoutez l'extrait et écrivez l'équivalent français des expressions anglaises données ci-dessous.

1 They shouldn't ask that of us.

2 If I didn't have my work, I'd be totally depressed.

3 I wouldn't be happy if I didn't have an interesting job.

4 If you didn't have your own salary, you wouldn't be independent.

5 What's more, if I continued like that, I'd lose all my friends.

Expressing disagreement

Hélène and Brigitte's conversation illustrates several informal and idiomatic ways of expressing disagreement.

> *Moi, je (ne) suis pas du tout d'accord.*
> Personally, I don't agree at all.
>
> *Mais pas du tout, pas du tout.*
> (But) not at all, not at all.
>
> *Mais ce n'est pas/c'est pas ça le problème.*
> (But) that's not the problem.
>
> *Il (ne) s'agit pas de ça.*
> It's not a question of that/that's not what it's about.

The last example contains *il* used impersonally. The expression can be adapted, for example:

> *Il (ne) s'agit pas de moi/de toi/d'argent.*
> This is not about me/you/money.
>
> *S'agit-il d'un emploi?*
> Is it about a job?

Copy these phrases into your dossier, if you're not already familiar with them. You will use some of them in the next *activité* when you participate in a similar conversation to the one you have been listening to. Aurélie is considering leaving her job to go to the country. As one of her friends, you listen and say what you think about her plans.

Activité 36

20 MINUTES

AUDIO 11

1 Pour vous préparer à participer à la conversation, traduisez les phrases ci-dessous.

(a) But not at all, not at all. I like city life.

(b) This isn't about me. I know you.

(c) You wouldn't be happy if you didn't have your friends around you.

(d) But if you lived in a little village, you wouldn't be able to go to the theatre any more.

(e) That's not the problem. You'd be completely depressed if you didn't have your work.

(f) But yes! If you went on holiday, you'd be able to take a decision more easily.

2 Écoutez l'extrait, qui vous demande de suivre les suggestions en anglais pour participer à une discussion avec Aurélie.

3.2 Amoureuse de sa poubelle

Monique, who lives near Nantes, feels that caring for her environment contributes to her quality of life and helps assure the well-being of future generations. In the *activités* associated with this topic you will discuss an aspect of ecology and present an ecological argument. The first *activité* focuses on what Monique has to say about her dustbin!

Activité 37

10 MINUTES

AUDIO 12

Écoutez l'extrait et décidez si les constatations suivantes sont vraies ou fausses. Corrigez les constatations fausses, en anglais.

		Vrai	Faux
1	Monique has three dustbins: one for garden waste, one for plastic and one for cardboard.	❑	❑
2	When asked whether it's tiresome having to sort your rubbish, Monique replies that if you're organized and motivated there's no problem.	❑	❑
3	Monique thinks that consumers would sort their rubbish if they had more information and were more sensible.	❑	❑
4	Monique says that most people don't like their dustbins and prefer to have them out of the way.	❑	❑
5	Monique feels a certain affection for her dustbin because it is made of recycled materials.	❑	❑

Pour vous aider

ordures ménagères household waste

déchets ménagers household waste

contraignant restricting

ça prend un temps fou it takes forever

je dois les prendre en compte I must take them into account *en passant*

Saviez-vous que le mot *poubelle* doit son nom à un préfet de Paris du XIXème siècle? Eugène Poubelle (1831–1907) a imposé l'usage des boîtes à ordures en 1884 quand il a publié l'arrêté suivant: 'Le propriétaire de chaque immeuble devra mettre à la disposition de ses locataires un ou plusieurs récipients communs pour recevoir des résidus de ménage.'

The interview with Monique contains many examples of liaison (i.e. the sound which occurs between two words when they are run together in speech, though separated in writing). The next *activité* will help you notice them.

Activité 38

10 MINUTES

AUDIO 13

Écoutez l'extrait et, dans la transcription ci-dessous, soulignez chacune des liaisons que vous entendez.

L'intervieweuse	Et vous pensez qu'on peut demander ça aux consommateurs, de faire ce tri comme ça de... des ordures?
Monique	Je pense. Il faut tout un esprit. Il faut une information, c'est tout un travail de préparation, de sensibilisation.
L'intervieweuse	Mais ça prend un temps fou de faire ce tri, non?
Monique	Mais non, bien sûr, vous arrivez de votre cuisine, vous rentrez dans votre garage, vous avez votre bouteille en-dessous le bras*, euh. C'est une question d'organisation.

* She should have said *'sous le bras'*.

Liaisons

It is difficult to give general rules about when liaison does and does not occur. The important thing is to be aware of the phenomenon, listen carefully and imitate the French speakers you are talking to. Don't worry too much because there are only a few instances where liaison wrongly used will make your speech incomprehensible. Overleaf we list three frequent and serious errors which you should try to avoid because they can hinder people's understanding of what you are saying.

Learners often make liaisons in the place below, but should not do so	***What a French speaker will hear and understand if you do make the liaison***
en haut	en eau (*in water/in a sweat*)
un homme et une femme	un homme est une femme (*a man is a woman*)
c'est où?	c'est tout? (*is that all?*)

There is one respect in which you can get help from your dictionary, however. Some words beginning with 'h' are incompatible with liaison. This is usually shown in your dictionary's transcriptions by an apostrophe placed just before the word. For example:

haricot ['aʀiko]

but

hôtel [otɛl]

So, *un haricot* is pronounced [ɛ̃aʀiko], while *un hôtel* has a liaison and sounds like [ɛ̃notɛl].

The next *activité* gives you practice in recognizing and using liaison correctly.

Activité 39

10 MINUTES

AUDIO 14

1 Lisez les phrases ci-dessous et essayez de deviner quelles sont celles qui doivent avoir une (ou plusieurs) liaison. Soulignez l'endroit approprié comme nous avons fait pour la première phrase.

(a) Où sont mes amis?

(b) C'est où la gare SNCF?

(c) Vous avez vingt-deux ans?

(d) Un homme et une femme sont sortis de cet entrepôt.

(e) Il a les yeux verts.

(f) Il habite en haut de la colline.

2 Écoutez ces phrases, dans la première partie de l'extrait, pour vérifier vos prédictions.

3 Écoutez la suite de l'extrait et répétez les phrases suivantes.

(a) C'est où la place du Tertre?

(b) Ces Hollandais sont arrivés aujourd'hui.

(c) Il a laissé ses papiers en haut.

(d) Cet hôtel-ci est dans la rue Haute-Colline.

(e) J'ai mis les haricots dans la cocotte.

(f) J'ai trois amis qui arrivent cet après-midi et deux autres ce soir.

In her second interview Monique is probed by the interviewer about her views on a waste incineration plant which the Nantes municipality are proposing to build not far from her home. In this audio extract you will also hear the *si* with conditional tense construction, used to describe something that might have happened.

Activité 40

10 MINUTES

AUDIO 15

Écoutez l'extrait et remplissez les trous du texte ci-dessous.

L'intervieweuse	Donc pour en revenir à cette usine d'incinération, vous la voulez pas devant chez vous. Est-ce que vous pensez qu'il y a quelqu'un qui va ________________?
Monique	Je la veux pas devant chez moi, euh, c'est… j'ai pas dit ça, que je la voulais pas devant chez moi!
L'intervieweuse	Si, un petit peu quand même…
Monique	… mais je la voulais pas parce que je connais un peu le problème des déchets ________________ et des ________________, un petit peu, dans l'agglomération nantaise, et je pensais avec d'autres qu'on n'___ avait pas __________. Si on avait ______ le tri aujourd'hui dans l'agglomération nantaise, si on __________ demandé aux gens de trier un petit peu, si on avait mis, si on avait donné les moyens de faire une sélection des déchets, nous __________ pu trier nos ordures à ______.

Pour vous aider

pour en revenir à to get back to (a previous topic of conversation)

si, un petit peu quand même in a way you did say it, though

Using 'si' with the pluperfect tense and past conditional

In the audio extract you've been working on Monique said:

> *Si on avait mis le tri dans l'agglomération nantaise... nous aurions pu trier nos ordures à 35%.*
> If they had set up recycling in the Nantes urban area, we would have been able to sort 35% of our rubbish.

Here Monique is using an 'if' sentence which bears a close resemblance to the constructions you met in Book 2 of *Valeurs* and in Section 1 of this book. Her sentence comes in two parts, uses the word *si* and includes a condition and an imagined consequence. However, it is different from the two types of 'if' sentences you have met before. To find out how, consider the following three examples and work out how the last one differs from the first two.

1. If I work in Chambéry, my wife will find a job in Grenoble.
2. If I worked in Chambéry, my wife would find a job in Grenoble.
3. If I had worked in Chambéry, my wife would have found a job in Grenoble.

The difference is that in sentence 3 the imagined situation did not, and now will not, occur. So this structure describes what might have happened, but didn't. The following table, this time using French versions of the example sentences, summarizes what we have said so far in this book about 'if' sentences.

Condition	***Imagined consequence***
1 Si je **travaille** à Chambéry... *Present*	... ma femme **trouvera** un emploi à Grenoble. *Future*
2 Si je **travaillais** à Chambéry... *Imperfect*	... ma femme **trouverait** un emploi à Grenoble. *Present conditional*
3 Si j'**avais travaillé** à Chambéry... *Pluperfect*	... ma femme **aurait trouvé** un emploi à Grenoble. *Past conditional*

Let us take a closer look at sentence type 3. As the table shows, the verb immediately after *si* is in the **pluperfect** tense. The verb in the part of the sentence expressing an imagined consequence is in the **past conditional**. This tense is formed by taking the present conditional of *avoir* or *être* and adding the verb's past participle. Revise the present conditional of *aimer*

(with *avoir*) and *arriver* (with *être*) by consulting pages 104–5 of your Grammar Book.

Now look at more examples which follow the same pattern as sentence 3. In these examples, the pluperfect verbs are underlined and the past conditional verbs are in bold.

> *Si j'<u>avais eu</u> assez de temps, j'**aurais préféré** manger au restaurant.*
> If I had had enough time, I would have preferred to eat in a restaurant.
>
> *Nous **serions arrivés** plus tôt si nous <u>étions partis</u> à l'heure.*
> We would have arrived earlier, if we had left on time.
> (Don't forget that the consequence may be mentioned before the possibility.)
>
> *S'il t'<u>avait donné</u> assez d'argent, tu **serais rentrée** en avion.*
> If he had given you enough money, you would have gone back by plane.

The next two *activités* give you some initial practice in using this construction. You will have further opportunities to use it later in this section of the book.

Activité 41

15 MINUTES

1 Complétez les expressions ci-dessous en choisissant dans l'encadré la condition ou la conséquence qui convient.

(a) ______________________________

j'aurais trouvé un métier plus intéressant.

(b) Si la mairie avait construit un métro au lieu d'un tramway, ______________________________.

(c) ______________________________

si tu m'avais laissé préparer le repas.

(d) Si tu avais apporté ton saxophone, ______________________________.

(e) Ils n'auraient pas pu acheter une maison aussi chère ______________________________.

- on serait allés participer au festival de musique
- nous aurions pu mieux manger
- si j'avais fait de plus longues études
- s'ils n'avaient pas pris de crédit
- les tickets auraient coûté plus cher

2 Traduisez en anglais les phrases que vous avez obtenues en faisant l'exercice qui précède.

In Section 1 you listened to Olivier and his wife Christine arguing about where they should live. Since their last discussion, they have moved to Chambéry. They're still not in agreement, as you will hear shortly. We want you to translate into French those parts of the dialogue which use the past conditional, before listening to the audio extract to check your answers.

Activité 42

15 MINUTES

AUDIO 16

1 Lisez le dialogue suivant.

Olivier	Ouf! Quelle journée, c'est incroyable le travail qu'on nous demande. Ça va, Christine?
Christine	Non, ça ne va pas du tout. Toi, tu as peut-être trop de travail, mais moi je n'en ai pas du tout. (I would have preferred to stay in Paris.)
Olivier	Ne recommence pas enfin! (I would not have found a job if we had stayed in Paris.)
Christine	Mais bien sûr que si! Papa voulait t'embaucher dans son entreprise. Je ne suis pas heureuse ici. Je n'arrête pas de te le dire. (If you'd listened to me, you would have understood.)
Olivier	C'est pas ça la question, tu sais très bien que je t'écoute. Mais ton père est trop difficile à supporter. (If he had taken me on, I would have left after three weeks.)
Christine	Ça alors! Papa est difficile à supporter? Et toi, non? (We would have been happier if we had gone to Lille or Rennes.)
Olivier	Oh après tout, tu n'en sais rien.

2 Traduisez en français les phrases entre parenthèses.

3 Écoutez l'extrait pour vérifier vos réponses.

In Section 1 of this book you were asked to talk about TV advertisements. This time we would like you to talk about waste recycling. Imagine that a radio station in Nantes is doing a programme on this subject and asks its listeners to call its answering machine and give their opinions. You will be asked to leave a short message lasting no more than a minute, supporting the idea of recycling more waste.

20 MINUTES

AUDIO 17

Lisez le schéma ci-dessous, puis en utilisant les idées, les mots charnières et le vocabulaire qu'on vous donne, enregistrez un message d'à peu près une minute pour soutenir un argument en faveur du recyclage.

Structure		Link words/vocabulary
1	Background: Nantes could recycle 35% of waste, but recycles only 15%	il paraît que … mais en fait
2	Give personal opinion: situation should not continue	à mon avis
3	Give example: could recycle plastic, paper, glass, aluminium	par exemple le verre, les matières plastiques, l'aluminium
4	Concede there is an argument against recycling then undermine this argument: expensive, but if town sold recycled products could recoup investment	effectivement, il est vrai que, je suis sûr que récupérer
5	Conclusion: not only immediate benefits, but also better quality of life for children	pour conclure, non seulement … mais aussi cette démarche, bienfaits immédiats

We asked a M. Darmont to record the message he might have left on the answering machine. You'll find this as *Extrait 17* on your Activities Cassette. A transcript is given in the *Corrigés*.

3.3 Le stress au boulot

For people in employment, there is little doubt that one of the crucial elements contributing to the quality of life is happiness at work. *Le stress au boulot* deals with the pressurized working environment which characterizes conditions in many people's work places. This topic is based on a text from *L'Express* magazine, which will allow you to take stock of your progress in reading longer texts.

Coping with longer texts

In Book 3 of *Valeurs* you worked on a long magazine article. Here is a summary of some of the things you did then: get into the habit of doing them whenever you tackle a long piece of reading.

1 Try to identify the paragraph(s) containing the key ideas. Bear in mind the main structuring features of introduction, conclusion and links

between paragraphs. You worked on these in Book 1 of *Valeurs* and you may want to have a look at that before you proceed.

2 Many of the paragraphs in the body of the text will be repeating, underlining, expanding on or exemplifying the main ideas found in the introduction and conclusion. This is where you will find more detailed information, case histories and statistics perhaps, or quotations from relevant specialists.

3 In a longer text lots of new vocabulary can be particularly intimidating. Remember that you do not need to understand every word and that it is a good idea to guess, even if on occasion you misunderstand. The main thing is to keep reading and not to be distracted by constantly looking up words in your dictionary.

4 If you really feel you've lost the thread of the article, don't give up. Put a question mark against the confusing part and read on. You may find that the central idea is repeated later or even that the concluding paragraph alone provides enough information for you to have a second go at guessing the gist of what has been puzzling you.

5 Finally, if you found it encouraging to time yourself on first and final readings of the *Quartier du Luth* text in Book 3 of *Valeurs*, try the technique again with *Le stress au boulot*.

Remember there is no substitute for practice, so try out these techniques on French articles you come across in your own reading.

In the next *activité* you'll prepare yourself for reading, then read and finally check your understanding of the main points.

Activité 44

40 MINUTES

1 Réfléchissez quelques instants à ce que vous savez, personnellement, du stress au travail. Notez brièvement en anglais les thèmes qui, d'après vous, sont associés à l'idée du stress au travail.

2 Lisez le texte 'Le stress au boulot' paragraphe par paragraphe. À chaque fois que c'est possible, notez le numéro du paragraphe et résumez-le par quelques phrases en anglais. Si vous avez des difficultés à comprendre un paragraphe, essayez le suivant. Attendez d'avoir lu tout l'article avant de consulter le corrigé.

3 Pour les paragraphes qui vous ont causé des difficultés, étudiez le résumé, que vous trouverez dans le corrigé, puis cherchez dans le texte quelques expressions correspondant aux informations du résumé. Par exemple, pour le paragraphe 2:

Informations de notre résumé
The main cause is stress, which allows a worker to perform optimally, but may lead ultimately to a dramatic breakdown.

Expressions tirées du texte
le stress… transforme la fatigue en énergie
mais le stress, aussi… brûle le corps

Le stress au boulot

1 Les médecins du travail n'ont pas la réputation d'être des va-t-en-guerre. Pourtant, 12 d'entre eux, affolés par la gravité des cas devant lesquels leur pratique les place, ont décidé de crever le silence poli généralement de mise. Ces 12 médecins en colère, praticiens en région parisienne, ont rédigé ensemble un rapport sur les troubles psychologiques et psychopathologiques dont ils sont témoins chez les salariés des entreprises en restructuration. Leur diagnostic est sans appel : « La situation s'est terriblement dégradée, surtout depuis cinq ans, affirme le Dr Bernard Seitz. On assiste à une épidémie de dépressions nerveuses et de tentatives de suicide, hélas ! parfois réussies. On ne peut pas continuer à poursuivre, à n'importe quel prix, un unique objectif : la rentabilité. On va se casser la figure. »

2 Accusé n° 1 : le stress. Ce stress qui propulse les battants, soutient les bourreaux de travail, alimente les ambitieux, transforme la fatigue en énergie et, balayant sur son passage petites appréhensions et grandes peurs, permet tous les exploits quand on aime son travail. Même celui, tout bête, de supporter, jour après jour, un voisin de bureau imbuvable. Mais le stress, aussi, brouille l'esprit, brûle le corps et bouscule l'équilibre jusqu'au crash. Le boulot triture les méninges, titille les nerfs, sape le moral, bref, pompe l'air dès qu'il n'offre plus de gratification narcissique, comme disent les psy. Ça passe et, parfois, ça casse. Il arrive même qu'on en meure.

3 Pourtant, jamais les conditions physiques et matérielles de travail n'ont été moins pénibles, jamais les patrons ne se sont plus souciés du bien-être de leurs employés — qui n'a pas son directeur des « ressources humaines » ? — et le culte de la forme est à son apogée. Mais, piégés comme des rats dans leur emploi — tremblant de le perdre — les Occidentaux, en temps de crise économique, se battent les flancs pour être ou avoir l'air productif : ils en prennent plein le dos et multiplient les ulcères ; c'est mieux que l'ANPE. Moyennant quoi, une personne sur quatre, en France, est victime au cours de sa vie active de troubles mentaux, bénins ou majeurs : deux fois plus qu'il y a vingt-cinq ans.

4 Les 12 médecins racontent la compétition meurtrière, l'anxiété lancinante des salariés les plus vulnérables face aux menaces de licenciement, aux rumeurs usantes, aux changements qu'ils pressentent. Ils dénoncent les surcharges de travail, les mutations mal préparées, l'absence d'information. Ils disent aussi l'impuissance de certains dirigeants, tenus de réduire leurs effectifs et d'augmenter la productivité de leur entreprise, mais qui, déchirés ou cyniques, sont incapables de gérer les conséquences humaines de leurs décisions. Un malaise général qui vient s'inscrire, brutalement, dans le corps des salariés les plus exposés ou les plus fragiles. L'un des médecins a mené une enquête comparative sur cinq entreprises. Deux d'entre elles viennent de licencier : près de la moitié des cadres et des employés se plaignent de graves troubles du sommeil. L'une des sociétés va bien, mais doit bientôt déménager : 26 % de ses salariés dorment mal. Dans les deux dernières, 90 % du personnel dort sur ses deux oreilles.

5 « Quand j'ai débuté, il y a vingt-cinq ans, témoigne le Dr Marie-Louise Leblanc, je rencontrais rarement des cas de dépression nerveuse, banals aujourd'hui. Mais l'intolérable, ce sont les suicides : quand cinq personnes se

donnent la mort en une semaine — c'est arrivé dans une société dont je m'occupe — on est bien obligé de mettre en relation leur désespoir et les tensions qui règnent dans cette entreprise. »

6 Dieu merci, le travail ne décime pas systématiquement la population active, et toutes les entreprises ne sécrètent pas de drames si aigus. Catherine, par exemple, est un cadre ordinaire d'une grande banque nationale, qui, pour préserver l'adaptabilité de son personnel, pratique la rotation des postes tous les trois ans : « Je n'ai jamais l'impression d'être installée quelque part, donc, j'ai du mal à m'impliquer. En plus, comme les effectifs ont été réduits, j'assure deux postes à moi toute seule depuis janvier. » Depuis février, elle est victime d'un psoriasis galopant. Depuis mars, de crampes d'estomac. Et cette femme qui, lorsqu'elle était au foyer, rêvait de travailler, caresse aujourd'hui le fantasme inverse.

7 Stress, aussi, la boulimie soudaine de Pierre, enseignant — l'une des professions les plus exposées. Agrégé de lettres classiques, il s'est retrouvé, à Rouen, dans une classe de sixième dont 25 % des élèves étaient, dit-il, incapables d'écrire leur nom : « En un an, je suis passé de Roland Barthes au b.a.-ba de l'écriture, et j'ai pris 15 kilos. Le soir, en rentrant, j'écumais le programme de télé et je ne lisais plus une ligne. »

8 Cadre dans une administration, Bernard, un matin comme les autres, a descendu sa poubelle sur le trottoir, pris le bus, salué le factotum à l'entrée de l'immeuble, attendu l'ascenseur, et posé... sa poubelle sur son bureau. « Ce jour-là, dit-il, j'ai compris qu'il fallait que je cherche un autre job. » Claude, lui, a carrément fugué : au moment de se garer devant sa boîte, il a soudain appuyé sur le champignon. Cinq cents kilomètres plus loin, il s'est arrêté pour télégraphier sa démission.

9 L'excès de bruit, de lumière, de chaleur ou d'humidité est évidemment un facteur de stress. La double vie des mères de famille, les transports infernaux en sont d'autres. Le travail de nuit, aussi, qui perturbe les rythmes naturels. Le travail à la chaîne, trop répétitif. Et le travail au rendement : des comptables payés au mois ont été soumis à une expérience. Pendant quatre jours, on les a rémunérés à la tâche. Le rendement s'est accru de 114 %, mais les douleurs psychiques et physiques également, et l'excrétion d'hormones surrénales, signe de stress, a augmenté de 25 à 40 %. En demandant à des cadres moyens d'exécuter deux tâches à la fois — écrire un texte tout en appuyant sur une pédale quand un voyant lumineux s'éclairait — un chercheur a montré que l'accumulation de sollicitations faisait, peu à peu, perdre la tête au sujet, qui devenait agressif et totalement inefficace. En France, un cadre est sollicité — coups de téléphone ou autres « agressions » — en moyenne une fois toutes les sept minutes.

10 Certaines professions sont soumises à des tensions pratiquement inévitables, dues à l'urgence, au risque, à l'obligation de se concentrer ou de décider vite et bien. Le quart des décès des pompiers en service serait le fait du stress, hémorragies cérébrales ou infarctus à la clef. Dès que l'alerte est donnée, le rythme cardiaque du pompier passe, en soixante secondes, de 60 à 150, voire à 200 pulsations par minute, alors que le cœur d'un homme essoufflé ne bat qu'à 110-120. Pour les besoins d'une émission, un médecin s'est livré à une expérience sur Henri Sannier, alors présentateur du journal télévisé d'Antenne 2. En temps normal, l'électrocardiogramme donnait 80 pulsations par minute. A 19 h 50, quand le journaliste monte dans l'ascenseur, les battements s'accélèrent jusqu'à 100 pulsations. 19 h 55 — « Merde, j'ai oublié de brancher mon micro » : 125 pulsations. Au cours du Journal : 130 pulsations. 20 h 29 — « Bonsoir, merci, à demain » : 90, 85, puis 80, ouf !

11 Climat tendu au centre de contrôle aérien d'Athis-Mons, près de Paris. En mire : le carrefour névralgique de Chartres, de Toussus et de Rambouillet. Les contrôleurs aériens travaillent en binôme, l'un, rivé à l'écran radar et en communication constante avec les pilotes, l'autre, pendu au téléphone pour transmettre les informations aux secteurs voisins. Les contrôleurs ne restent jamais plus d'une heure devant l'écran : trop stressant. Leur hantise : l'erreur d'appréciation, et l'oubli d'un écho radar, qui signale la présence d'un avion. « Après l'accident du DC 10 d'Ermenonville, se souvient l'un d'eux, mon collègue qui suivait sur écran l'appareil a immédiatement démissionné, traumatisé par l'extinction subite de ce petit écho. »

12 Stressés, aussi, les dentistes, qui, selon une étude américaine, ont une espérance de vie bien inférieure à la moyenne. Stressées, aussi, les standardistes assaillies d'appels. L'une

d'elle, dans le métro, s'exclamait machinalement : « Allô ! j'écoute ! », à chaque fermeture des portes. C'est la « névrose des téléphonistes », mise en évidence par un chercheur en 1957, et contre laquelle une standardiste d'aujourd'hui lutte en s'adonnant à l'escrime : « Trois fois par semaine, je butte, par procuration, tous les gens qui m'ont pris la tête. » Stressés, aussi, les golden boys, ces as des marchés financiers qui doivent, sur écran, jongler avec des millions en quelques secondes et anticiper les renversements de tendance. Gonzague Real del Sarte, l'un de ces « brokers », est atteint de « trombonite » aiguë : il casse plus de 1 000 trombones par mois, témoin le sol. « J'ai fait essayer toutes les marques par ma secrétaire : résistance, forme, couleur. Les Brief-Klammern sont incontestablement les plus performants. »

13 « Pour ces activités fébriles, nerveuses, on recherche des types jeunes, hypersensitifs, naturellement stressés, des "prima donna", raconte Marc Lamy, chasseur de têtes sur les marchés financiers. Mais, au bout de dix ans, à 200 décisions la journée, ils ont perdu leur jus. » Jean-Benjamin Stora, professeur de stratégie d'entreprise à HEC et psychosomaticien, affirme qu'il vaut mieux ne pas stopper les machines humaines qui carburent au stress : « Ce sont des voitures de course, ultraperformantes, mais fragiles. Les ralentir serait dangereux. Ces gens-là, d'ailleurs, se projettent mal dans le futur. Ils ont l'intuition qu'ils risquent l'accident majeur. » C'est la théorie de l'U renversé : plus vite monte la tension, plus dure sera la chute...

14 Aux yeux des médecins, le stress désigne la réponse globale de l'organisme à toutes les contraintes de son environnement physique, affectif ou social, un phénomène d'emballement de la machine humaine qui peut être agréable, pénible, utile ou dangereux. Face aux agressions, l'animal n'a qu'une réaction : la fuite. S'il ne peut fuir, il tente de lutter. S'il ne peut ni fuir ni lutter, il reste tétanisé, et souffre. C'est le fameux système inhibiteur de l'action défini par le Pr Henri Laborit, biologiste. « Ce système l'empêche d'agir, explique-t-il. Notez, dans certaines situations, cela peut lui sauver la vie. Un mulot qui aperçoit un faucon ferait mieux de rester tapi dans l'herbe plutôt que de courir à travers champs. Le problème, dans la vie, c'est qu'il n'y a pas que des faucons. Il y a aussi de vrais cons : et quand un contremaître tyrannise un ouvrier, celui-ci ne peut ni démissionner ni lui casser la figure. Alors, il fait un ulcère. Le système inhibiteur de l'action est à l'origine de toute la pathologie. »

15 Dans un rapport du Bureau international du travail, l'endocrinologue Lennart Levi affirme que le « manque de contrôle de la situation » sert de dénominateur commun à tous les stress professionnels. Plus on peut agir sur le contenu et les conditions de son travail, moins on est tendu. Pour pouvoir réagir, il faut d'abord être informé. Perclus d'impuissance, le salarié au placard se ronge les foies en devinant ce qu'on n'ose pas lui dire. Selon l'Organisation internationale du travail, les affections liées au stress touchent prioritairement les ouvriers et les employés les plus modestes : obligés de subir, mal écoutés, exposés au chômage, leur marge de manœuvre est étroite. Contrairement aux idées reçues, plus on est diplômé, plus on monte dans la hiérarchie, moins on est malade du stress. Il ne s'agit que de statistiques.

16 . Car des dirigeants stressés, tout le monde en connaît. Et d'abord Stora, qui les a étudiés et déplore : « L'idéologie de Goldorak — je suis invulnérable, je ne montre pas mes faiblesses — fait de plus en plus de ravages. » Les plus stressés ? Les directeurs en compétition à l'intérieur d'une grande entreprise et les patrons d'entreprise de 500 employés. Au-dessous, on se débrouille. Au-dessus, on se protège en déléguant. Certains PDG, comme Alain-Dominique Perrin (Cartier international) ou Gilbert Trigano (Club Med), se vantent volontiers de gouverner au stress leurs collaborateurs. Le profil psychologique joue aussi. Deux types de patrons échappent aux tensions : « Les narcissiques au cuir épais qui, centrés sur eux-mêmes, amortissent bien les agressions. Et les possessifs, parfois un peu sadiques, qui manipulent les individus comme des pions interchangeables et considèrent qu'ils leur appartiennent. » Il paraît que les dirigeants du troisième type ne courent pas les rues. Pourtant, l'un d'eux raconte un peu honteusement ses insomnies lors d'un licenciement massif : « Je ruminais mes raisons, toujours un peu subjectives, de virer telle personne de préférence à telle autre. A la direction, nous nous étions mis à quatre pour faire le sale boulot : nous nous sommes inscrits sur les listes pour nous donner l'impression d'être

justes. » Les patrons vivent surtout durement la rançon du pouvoir : sa perte. Des chercheurs soviétiques ont provoqué des lésions, à terme mortelles, dans le tissu cardiaque d'un chef babouin en le « détrônant », tout simplement.

17 Les cadres, aussi, sont stressés. 80 % d'entre eux jugent pesantes leurs responsabilités humaines. Ils se sentent parfois sous-utilisés. Ils s'inquiètent pour leur avenir. Ils s'estiment surmenés. Ils ont atteint, en France, le taux d'absentéisme le plus bas — quatre jours et demi par an, pour treize, en moyenne, dans la population active : un seuil jugé incompressible. Certains, en pleine ascension sociale, sont victimes du syndrome d'imposture, décrit par Pauline Rose Clance, vous savez, cette petite voix intérieure qui distille son venin aux pires moments : « Mon pauvre vieux, tu n'es pas à la hauteur, ça va bien finir par se voir. » D'autres craquent carrément dans les mois qui suivent une promotion : complexe d'Œdipe mal surmonté, disent les psychanalystes.

18 « Mais ce sont les agents de maîtrise qui morflent le plus, affirme Alexandre Grail, directeur des relations sociales chez Findus et PDG de la société de conseil Delta. Ils ne savent pas dans quel camp ils se situent. Ils ont été promus pour leur loyauté et leur docilité à une époque où il suffisait d'être chef pour se faire obéir. Et ils sont à la tête d'hommes qui ont besoin d'un leader charismatique, pas d'un adjudant. »

19 On rencontre même des entreprises stressées. Elles suintent l'ennui, ou jouent les Cocottes-Minute. Radio-moquette programme une cacophonie de ragots contradictoires. L'orchestre geint, le chef est invisible, et les sous-chefs s'engouffrent dans les toilettes dès qu'un emmerdeur de service se profile au bout du couloir. Ce dernier, parfois, les y suit. Symptôme majeur d'une entreprise stressée ? La « désanimation », tranchent les sociologues ; autrement dit, le « présentéisme contemplatif », selon l'expression de Grail :

bref, l'autisme généralisé : tout le monde s'en fout, attend que ça se passe et se contente de « porter sa viande », comme disait un manutentionnaire, qui, écœuré, préférait s'investir dans la municipalité qu'il dirigeait. Autre symptôme ? « Une accumulation de petites demandes sans réponse, affirme Jean-Jacques Benasar, psychosociologue. Mais, attention ! ne pas confondre commande et demande : si l'on vous réclame une lampe, puis trois étagères, puis autre chose, c'est peut-être de la considération qu'on attend. Nous sommes tous de grands enfants. » Sûr.

20 Mais, du coup, une armée de consultants propose des recettes antistress, qui, souvent, sont des interprétations à peine sophistiquées de la méthode Coué. Dominique Chalvin, de la Cegos, distribue, à la fin de ses stages antistress, un petit aide-mémoire qui débute sur cette injonction : « Considérez vos problèmes tels qu'ils sont et non tels que vous les voyez. » Bon sang, mais c'est bien sûr ! Les trucs du Dr Luc Audouin, eux, ont au moins le mérite d'être poétiques. Aux clavistes sur écran, il propose de fermer les yeux et de caresser leur machine pour mieux l'apprivoiser. Aux cadres dirigeants, il enseigne l'art de dormir tout en gardant l'air éveillé. Il recommande, pour les machines à café, l'achat de gobelets bien mous, qui permettent au personnel stressé de doser ses tensions. En effet, que se passe-t-il quand on saisit trop brutalement un gobelet mou plein de café brûlant ?

21 On peut « optimiser son stress » et « gérer son tonus », affirment les marchands de bonheur. Sans doute. En tout cas, depuis quelques années, les patrons d'entreprise ont compris que leurs collaborateurs, promus matière première, devaient s'entretenir au moins aussi bien que les machines. Certains ont multiplié les stages : antistress, pour éviter d'aller trop loin, ou hors limite, pour voir jusqu'où on peut aller trop loin. D'autres ont planté des arbres et des tennis. On nage chez L'Oréal, comme chez Rouleau-Guichard. On dialogue à tout crin chez Dior. On jabote au sauna chez Bouygues. Et, surtout, on redécouvre la « culture d'entreprise ». Mais non, pas l'esprit maison ! Rien à voir avec le paternalisme... Là, c'est à la japonaise, à la californienne. A la française, on cherche un peu.

22 En gros, de cercle de qualité en projet d'entreprise, les dirigeants modernistes sont décidés à considérer leurs salariés comme des interlocuteurs, et même, pour les plus audacieux, comme des copains. On a le droit de s'exprimer, de pratiquer des horaires flexibles et de s'adonner au jogging dans les couloirs. On a le devoir d'être inventif, disponible, adaptable, en forme et content. Une philosophie parfaitement illustrée par la société Apple-France, qui vient d'ouvrir un centre antistress au cœur de l'entreprise. Là, on peut barboter dans le jacuzzi et faire bouger tous ses muscles sur des appareils hypersophistiqués. « Nous avons besoin de gens en bonne santé, c'est notre capital, explique Pierre Grellier, le directeur des ressources humaines. Un tonus fort favorise la concentration et le charisme. » Coercition douce, le système de valeurs maison repose sur la « séduction ». Pas d'horaires, pas de contrôles, pas de hiérarchie verticale, mais, attention : « Le développement de l'entreprise passe par l'épanouissement de l'individu, précise Grellier. Mais il faut qu'il s'épanouisse. » Sinon...

23 Téléphonée ou pas, la satisfaction au travail ne profite pas qu'à l'entreprise. Elle serait, selon George Lehman, un chercheur américain, l'un des facteurs qui permettent le mieux de prédire une longue vie. Donc, pour vivre longtemps, travaillez heureux... Dites-donc, vous, là-bas : au boulot !

Jacqueline Remy ■
avec Renaud Leblond et Juliette Nouel

(*L'Express*, 23 septembre 1988)

In point 2 of 'Coping with longer texts' we referred to paragraphs containing more detailed information, case histories and statistics. *Le stress au boulot* has a few paragraphs of this type which, rather than expressing key ideas, contain evidence to support the author's opinions. In the next *activité* you will be asked to deal with this more detailed information, as seen in paragraphs 6, 7, 10 and 12 of the text, by focusing on the case histories of five individuals, finding out what caused their stress and what the consequences of it were.

Activité 45

20 MINUTES

1 Relisez les paragraphes 6, 7, 10 et 12 du texte.

2 Remplissez en anglais le tableau ci-dessous pour expliquer la cause du stress de chaque individu et les conséquences subies. Pour vous aider, nous avons rempli une des cases.

Name	*What creates their stress?*	*What are the consequences of this stress?*
Catherine (paragraphe 6)		
Pierre (paragraphe 7)		
Henri Sannier (paragraphe 10)		
Une standardiste (paragraphe 12)		
Gonzague Real del Sarte (paragraphe 12)	As a top broker at the stock exchange, he needs to juggle millions in seconds and predict sudden changes in the market	

Next you're going to practise the *si* + pluperfect + past conditional structure taught earlier in this section. You may remember Olivier saying *'Je n'aurais pas trouvé d'emploi si nous étions restés à Paris'* (I would not have found a job if we had stayed in Paris). The next *activité* asks you to imitate this structure in the context of some of the stress factors mentioned in the article you have just read.

Activité 46

20 MINUTES

1 Complétez les phrases suivantes en utilisant le conditionnel passé et le plus-que-parfait partout où vous voyez un verbe entre parenthèses.

(a) Si Catherine (ne pas assurer) deux postes, elle (ne pas avoir) de crampes d'estomac.

(b) Si le directeur (suivre) un stage anti-stress, il (ne pas donner) sa démission.

(c) Si l'entreprise (installer) un sauna, je (rester) plus longtemps chez eux.

(d) Il (pouvoir) dormir sur ses deux oreilles si on lui (donner) moins de responsabilités.

2 Traduisez les phrases complètes en anglais.

Using 'il faut' + subjunctive

When you read *Le stress au boulot*, you may have noticed the expression:

> *il faut qu'il s'épanouisse*
> it is necessary (that) he fulfil(s) himself
> (last line of paragraph 22)

Il faut que (infinitive *falloir*) is always followed by a verb in a form called the **subjunctive**. Thus, in the above example *s'épanouisse* is in the subjunctive. Consider the following examples, some of them with *falloir* in the past and future tenses.

> *Il faut que tu le fasses.*
> You have to do it.

> *Il faut que vous soyez là.*
> It is necessary (that) you be there.

> *Il va falloir qu'elles comprennent.*
> They'll have to understand.

> *Il a fallu qu'elle vienne.*
> She had to come.

For the moment, you are expected to know how to use the subjunctive in only one tense, the present, and in only one context, i.e. after *il faut que*. While this is only one of the uses of the subjunctive, it is a frequent one and it is obligatory.

In your Grammar Book, page 94 paragraph (f), you will find out how to form the subjunctive of regular verbs. Below we have listed the present subjunctive form of six of the most common irregular verbs, for you to memorize. You will probably find it most useful to concentrate on the *je*, *tu* and *il* or *elle* forms, as these are the ones you are likely to hear and use most often.

avoir
que j'aie
que tu aies
qu'il ait
que nous ayons
que vous ayez
qu'ils aient

aller
que j'aille
que tu ailles
qu'il aille
que nous allions
que vous alliez
qu'ils aillent

venir
que je vienne
que tu viennes
qu'il vienne
que nous venions
que vous veniez
qu'ils viennent

être
que je sois
que tu sois
qu'il soit
que nous soyons
que vous soyez
qu'ils soient

dire
que je dise
que tu dises
qu'il dise
que nous disions
que vous disiez
qu'ils disent

savoir
que je sache
que tu saches
qu'il sache
que nous sachions
que vous sachiez
qu'ils sachent

pouvoir
que je puisse
que tu puisses
qu'il puisse
que nous puissions
que vous puissiez
qu'ils puissent

faire
que je fasse
que tu fasses
qu'il fasse
que nous fassions
que vous fassiez
qu'ils fassent

The next *activité* is based on a cartoon strip which picks out various stressful moments from Hervé and Mathilde's wedding day. Each picture is accompanied by a mini-dialogue. Your job is to translate the missing parts of each dialogue into French using *il faut que* plus a verb in the subjunctive.

Activité 47

10 MINUTES

Hervé se marie aujourd'hui. Son témoin, Frédéric, s'inquiète. Regardez la bande dessinée, puis traduisez les phrases anglaises entre parenthèses.

1

Frédéric Tu te maries à 14 heures! (You have to be on time.)

Hervé D'accord, t'inquiète pas, je me lève.

2

Frédéric Mais habille-toi, enfin!

Hervé Je dois sortir. (I have to go and buy flowers.)

3

Frédéric Ça y est. J'ai préparé mon discours pour la réception! Et toi? (You have to make an effort too!)

4

Frédéric Il faut peut-être qu'on y aille, non?

Hervé Mais attends! (I have to say hallo to a friend.)

5

Mathilde (He has to come!)

3.4 Sait-on prendre le temps de vivre?

The last topic in this book is based on Caroline, an ecologist, Anne-Dominique, a farmer, and Jacques, a vet, who were interviewed in Nantes and asked to say what quality of life means to them.

In *Activité 48* you will hear what they have to say and in *Activité 49* you'll be asked to write about your own views on the subject, re-using the language you have studied in this book.

Activité 48

25 MINUTES

AUDIO 18

Écoutez l'extrait, puis répondez en anglais aux questions suivantes.

1 How would Caroline like to see life in the city changed? Give the general point she is making, supported by one of the examples she uses.

2 How does Caroline describe the state of mind of people who live in cities? To what does she attribute this state of mind?

3 According to Caroline, what do such people do when they get home in the evenings?

4 Caroline would like to see people behaving differently. What changes in their behaviour would she like to see?

5 How does Anne-Dominique define quality of life?

6 What two specific leisure activities does Jacques say one should make time for?

The last *activité* of this book invites you to practise your essay-writing skills. It includes some specific ideas around which to build your essay, but you might also like to bear in mind the following general suggestions before beginning to write.

Improving your essay writing

1 Read and reflect for a moment on the essay title which you have been given (you'll find it in *Activité 49*). Then, if necessary, re-read 'Putting an essay together' in Section 6 of Book 3 of *Valeurs*, where you were given guidance on essay writing.

2 Look back through this book and make a note of the ideas, arguments and language which you think are relevant to the essay title. You might also want to re-use notes you have made while studying the materials, including any notes you may have jotted down in your dossier.

3 When you have planned, drafted and finally written the piece, you will need to go over it again, preferably a day or two later, to check what you have written for language mistakes. You need to make sure that your verb tenses, subject–verb agreements, adjective–noun agreements, spelling and so on are correct. You will do this more effectively if you make yourself go through the text several times, looking for only one of these grammatical points at a time: thus you might read through once for subject–verb agreement, then again for adjective–noun agreement, then again for use of past tenses, and so on. If you can recognize them, select the areas of grammar where you know you tend to make mistakes and go through those first. That way, if you run out of time for final checks, you'll still have produced a fairly good piece of French.

You should now be able to do the next *activité*. Try to include some of the ideas and language points suggested in the table, but feel free to give your essay a different structure. You may, for example, wish to tackle the points in a different order from the one suggested.

50 MINUTES

Écrivez une rédaction d'à peu près 300 mots en utilisant les idées données dans le tableau sur le sujet suivant.

> On dit que pour avoir une bonne qualité de vie, il faut respecter les choses et les gens. Dites si vous êtes d'accord avec cette définition, en illustrant votre argument avec des exemples tirés de votre propre vie.

Ideas	*Resources in Book 4*
1 Define what quality of life means. Give examples from your own circumstances.	Refer to Caroline, Anne-Dominique and Jacques (*Extrait 18*).
2 Say how good it is. Perhaps mention regrets.	Regrets: use sentences with conditional to say what might have happened but didn't.
3 Write about the place you live in. Criticize one aspect of it. Environmental concerns?	Refer to vocabulary and language covered in Section 1. See topics 3.2 and 3.4.
4 Mention your work situation. How it makes quality of life good or bad.	Refer to *Stress au boulot* text.
5 Say how quality of life could be improved by citing examples.	Use present conditional to express what could happen and *il faut que* + subjunctive to express what should happen.

Faites le bilan

When you have finished this section of the book, you should be able to:

- Recognize and use a range of phrases to express disagreement (*Activités 34* and *36*).
- Show an awareness of liaison in French (*Activités 38* and *39*).
- Use *si* clauses with the pluperfect and the past conditional (*Activités 41*, *42* and *46*).
- Use the subjunctive after *il faut* (*Activité 47*).

Vocabulaire à retenir

3.1 Hélène et Brigitte

j'en ai marre/il en a marre

le travail/la famille/la santé passe avant tout

indépendant, e

un embouteillage

3.2 Amoureuse de sa poubelle

des ordures (ménagères)

prendre en compte

pour en revenir à

la sensibilisation

c'est une question d'organisation

un rapport affectueux

affectueux, -euse

un produit recyclé

un citoyen, une citoyenne

3.3 Le stress au boulot

un rapport

affirmer

assister à

une dépression nerveuse

une tentative de suicide

la rentabilité

l'équilibre

une enquête

être victime de

un standardiste, une standardiste

une responsabilité

être à la hauteur d'une responsabilité/d'une tâche

l'épanouissement (personnel)

3.4 Sait-on prendre le temps de vivre?

respirer

une alimentation saine

ambitieux, -euse

individualiste

Corrigés

Section 1

Activité 1

1 You should have predicted that the following adjectives would occur: (b) accessible, (c) innovatrice, (e) jeune, (f) dynamique, (h) puissante, (i) accueillante, (l) douce, (m) vivante. You probably already know most of these adjectives. List any which are new to you in your dossier.

2 You should have predicted that the following expressions would occur:

(b) la conscience d'un riche passé

(d) un riche réseau de PME-PMI

(e) la formation trouve ici un terrain privilégié

(f) en osmose avec la nature

(h) des salons de renommée internationale

(j) prête à aborder le XXIème siècle

(k) fidèle aux traditions

(l) une ville fière de ses glorieuses aventures d'hier

(m) les racines du futur

(o) la nature est toujours proche

Activité 2

Histoire	*Avenir*	*Vie des entreprises*	*Environnement*
(b) passé	(j) XXIème siècle	(d) PME-PMI	(f) la nature
(k) traditions	(m) futur	(e) la formation	(o) la nature
(l) hier		(h) salons	

Activité 3

2 The correct towns are listed below, with the sentences from the texts which should have given you a clue to the answers.

(a) Chambéry: 'Pour mieux vivre le centre-ville, le réseau des rues et places piétonnes est ouvert à la promenade sans contraintes...'.

(b) Lille: '... le tunnel sous la Manche... va apporter à Lille... une dimension réellement européenne'.

(c) Chambéry: 'Depuis le Xème siècle... Ducs de Savoie et Rois de Sardaigne ont imprégné de leur marque la capitale qu'ils s'étaient choisie'.

(d) Toulouse: 'Beaucoup de villes dans le monde s'émerveillent sur leur passé en rêvant à un avenir idyllique'.

(e) Lille: 'Lille a connu une "tertiarisation" accentuée, avec le développement des fonctions bancaires, administratives et commerciales'.

(f) Chambéry: 'Disposant d'une desserte exceptionnelle, autoroutes, TGV et d'un aéroport distant de quelques minutes du centre'.

(g) Toulouse: 'L'aéronautique, le spatial, l'électronique, l'informatique, les bio-technologies sont les mots clés de ce label Ville Forte'.

(h) Lille: 'Par ailleurs, l'existence de plusieurs salles et théâtres permet de répondre aux exigences de spectacles de grande qualité'.

(i) Toulouse: 'La richesse... de Toulouse, c'est de pouvoir... faire éclater sa jeunesse ou laisser parler l'expérience'.

(j) Chambéry: '... l'Université de Savoie y développe des filières classiques ou innovatrices'.

(k) Lille: '... Ville d'Art et d'Histoire, au contact de deux cultures française et flamande'.

(l) Lille: 'Avec près de 170 000 habitants dont 27,2 % ont moins de 20 ans'.

(m) Toulouse: '... cet espace enrichi, où pendant des siècles se sont mêlés harmonieusement la souffrance, le ludique et le sacré'.

(n) Chambéry: 'Les paysages environnants accompagnent vos sports préférés'.

Activité 4

1 (a) Par ailleurs, Lille a connu une 'tertiarisation' accentuée.

(b) Lille accueille également chaque année de nombreuses manifestations commerciales...

(c) ... ainsi que des salons spécialisés de renommée internationale.

(d) C'est pourquoi il a été décidé la création d'un important Centre International d'Affaires autour de la gare.

(e) En plus de nombreux édifices civils et religieux de premier intérêt...

(f) ... tandis que la traditionnelle Braderie de septembre rassemble... plus d'un million de visiteurs.

2 You should have underlined:

(b) also, *également*

(c) as well as, *ainsi que*

(d) this is why, *c'est pourquoi*

(e) in addition to, *en plus de*

(f) while, *tandis que*

Activité 5

1 Vrai.

2 Vrai.

3 Vrai.

4 Vrai.

5 Faux. He could, though he'd have to make a big effort (*je devrais faire un gros effort*).

6 Faux. He thinks they could sell their house quite easily (*je crois qu'on vendrait la maison assez facilement*).

7 Faux. He might have some difficulty finding a well-paid job in Chambéry (*il faudrait que je trouve un emploi bien rémunéré là-bas et là j'aurais peut-être des difficultés*).

8 Vrai.

Activité 6

Here is the complete dialogue. The words you should have inserted are in bold.

L'intervieweur	Olivier, si vous pouviez déménager, où **aimeriez**-vous vivre?
Olivier	Moi, si j'avais la possibilité, j'**irais** vivre à Chambéry, pour être plus près de mes parents.
L'intervieweur	Et votre femme?
Olivier	Elle, je crois qu'elle **voudrait** plutôt s'installer à Lille, elle est d'origine flamande, vous savez.
L'intervieweur	Si vous alliez à Lille, **pourriez**-vous quand même vous habituer à vivre dans le Nord?
Olivier	Oui, je... enfin moi, je **devrais** faire un gros effort. Mais nous **pourrions** quand même prendre le TGV de temps en temps pour aller à Chambéry.
L'intervieweur	Donc, vous m'avez dit hier que d'ici un an, ce **serait** le bon moment pour déménager?
Olivier	Euh, oui et non, d'une part je crois qu'on **vendrait** la maison assez facilement, mais d'autre part il **faudrait** que je trouve un emploi bien rémunéré là-bas et là j'**aurais** peut-être des difficultés.
L'intervieweur	Mais pour revenir à votre femme, vous ne croyez pas qu'elle **aimerait** le climat à Chambéry avec tous ces lacs, ces montagnes, c'est agréable non?

Olivier — Peut-être. Si nous vivions près des Alpes nous **irions** skier et elle adore ça. Quant aux enfants, eux, ils **adoreraient** vivre là-bas.

Activité 7 Here is the completed description of the ideal town. The verbs in the present conditional are in bold.

Ma ville idéale **serait** dynamique, accueillante et accessible. Elle **disposerait** de nombreux espaces verts et, tout en cultivant les racines de son avenir, **resterait** fidèle aux traditions locales. Moi, je **voudrais** pouvoir habiter un quartier proche de la nature. Ainsi, mes amis et moi, nous **pourrions** profiter des paysages environnants pour pratiquer nos sports préférés. On **trouverait** au centre-ville un réseau de rues piétonnes et de places entourées de cafés. Il y **aurait** très peu de voitures: les habitants de la ville **prendraient** le tramway pour aller au travail et pour rentrer chez eux. Chaque été **aurait** lieu un grand festival de musique, les gens **viendraient** de partout pour y assister. De temps en temps je **partirais**, mais jamais pour très longtemps. **Ce serait** vraiment la ville idéale!

Activité 8 The verbs in the conditional are in bold in the sentences below.

1 Moi, je **prendrais** le bus pour y aller.

2 Oh, nous **aimerions** vivre à Monte-Carlo!

3 On **vendrait** la voiture.

4 Ma grand-mère **adorerait** venir ici en vacances.

5 J'**irais** à Orléans pour Noël et à Valence pour le Nouvel An.

Activité 9

1 (a) For example, should I do voluntary work?

(b) Ah, so could you tell me how to use a credit card?

(c) That's true, she should do/ought to do a course before looking for a job.

(d) We could go to the cinema this evening and stay at home tomorrow.

2 (a) Je sais. Je devrais me lever plus tôt.

(b) Oui, c'est vrai, il devrait aller voir sa mère plus souvent.

(c) Tu as raison. Je pourrais t'emprunter 500 francs?

(d) Mais elle pourrait prendre le bus pour aller au travail.

Activité 10 Here is the conversation. The verbs in the present conditional are shown in bold.

– S'il vous plaît, je **voudrais** voir une pièce de théâtre ce soir. Vous pouvez me conseiller quelque chose?
– Oui, monsieur, vous **devriez** aller voir *Cyrano de Bergerac*.
– Très bien, et je cherche aussi un bon restaurant chinois.
– Je vous **conseillerais** d'essayer le 'Jardin chinois', qui est à côté du théâtre.
– D'accord, sinon, **pourriez**-vous me donner une carte d'abonnement pour le tramway?
– Oui, **pourriez**-vous me donner une pièce d'identité?
– Bien sûr. Voilà.
– Ah, vous êtes belge?
– Oui, je suis de Bruxelles.
– J'y suis allé(e) il y a dix ans. J'**aimerais** bien y retourner.

Activité 11 2 (a), (c), (d), (f), (g), (i), (j), (k), (m), (n), (p).

Activité 12 Here is the completed transcript. The words you should have inserted are in bold.

> Nantes a une **longue** et **riche** histoire. C'était autrefois un très grand port. Aujourd'hui, le port a pratiquement **disparu**. Sainte Anne salue, solitaire. Peu de marins lui demandent **protection** de nos jours! Mais la vie continue en ville. Les gens s'occupent de leurs affaires et de leurs soucis **quotidiens**.
>
> La municipalité **investit** de grosses sommes d'argent pour **améliorer** la qualité de la vie des Nantais, mais il faudra quand même qu'ils soient un peu **patients**. Elle a tiré parti des **splendeurs** du passé et elle met en valeur les agréments de la ville moderne.

Activité 13 Below we have provided a model answer which should bear a strong resemblance to your own version. Note that the vocabulary you needed to have learned is indicated below in italics, the link words are underlined and the verbs in the conditional are in bold.

> La première image de la publicité **serait** le château puisque les Britanniques adorent l'histoire. Étant donné qu'ils aiment se détendre en vacances, je **choisirais** <u>également</u>* l'image de l'homme qui dort à la terrasse du café <u>ainsi que</u> les gens qui jouent aux boules. Nantes est une ville *vivante* et *dynamique*. <u>C'est</u>

* You could have used *aussi* to translate 'also'.

pourquoi j'**aimerais** montrer des cafés qui sont ouverts la nuit et les jeunes gens qui discutent devant un café. Par ailleurs, Nantes a *un patrimoine riche*, on **pourrait** donc inclure une image des fontaines ou de la statue de sainte Anne. En plus de ces images, je **voudrais** utiliser l'image des *travaux* pour illustrer le fait que la mairie *investit* de grosses sommes d'argent. Enfin, la publicité **se terminerait** par l'image du couple tendrement enlacé pour montrer qu'à Nantes on peut trouver l'amour.

Activité 14

The alternatives you should have chosen are listed below, with relevant quotations from the transcript.

1 (b) 'la situation, d'abord, géographique de Nantes... et on se réfère à des valeurs un peu américaines, c'est vrai, de la Côte Ouest.'

2 (a) 'la mer était plus porteuse d'un souffle puissant par rapport à la Loire qui a déjà été aussi utilisée par d'autres villes.'

3 (b) 'Nous n'avons pas que ce visuel de couple... il y a le père, les enfants, la jeune femme... .'

4 (a) 'Le TGV... Nantes est quand même à deux heures de Paris. C'est quand même un des atouts de Nantes, malgré tout.'

Activité 15

2 You should have completed the table as follows:

No. du film	*Les images vues à l'écran*	*Les bruits de fond*	*L'objectif du film*
1	(b)	(f)	(i)
2	(c)	(e)	(g)
3	(a)	(d)	(h)

Activité 16

3 Here is a transcription of M. Chablis' presentation:

Comme vous savez, le but de cette campagne publicitaire est de vendre la ville de Nantes. Est-ce que nous avons atteint cet objectif? Oui et non. À mon avis, le troisième spot, celui qui montre les atouts sportifs de la ville, est très convaincant. Par contre le deuxième, celui qui évoque la culture et l'industrie de Nantes, est plutôt faible.

Commençons par le troisième. Selon nous, ce spot évoque bien le dynamisme des habitants et les agréments de la ville. Nous trouvons que vous avez bien choisi les bruits de fond: l'eau, les oiseaux, cela donne une impression d'harmonie avec la nature. Par ailleurs, vous avez utilisé des femmes pour illustrer le sport à Nantes. C'est une idée originale qui nous a plu.

En ce qui concerne le deuxième spot, d'abord le téléspectateur ne saura pas que les gens que l'on voit à l'écran viennent d'assister à un événement culturel. Ensuite, nous avons l'impression que le spot n'évoque pas suffisamment 'l'effervescence industrielle' de la ville. Donc, il nous semble que vous devriez améliorer ce spot. Pourquoi ne montrez-vous pas un concert sponsorisé par une entreprise par exemple?

Disons que, pour résumer, le troisième spot donnerait envie de pratiquer le sport à Nantes, mais le deuxième ne montre pas vraiment le lien entre la culture et l'industrie dans notre ville. Nous savons que vous avez déjà beaucoup travaillé sur le deuxième spot, mais nous trouvons qu'il faudrait le refaire pour l'améliorer.

Activité 17

1. Antoine has used the picture of a building (*un bâtiment*).
2. Laurence feels it's not quite different enough for Nantes (*c'est pas tout à fait assez différent pour Nantes*).
3. He says that this poster is only one of many they could choose. They might choose a picture of the port, of the parks or of some cultural event (*on va avoir plusieurs annonces... on aura aussi peut-être le port, on aura peut-être les espaces verts, on aura peut-être une manifestation culturelle*).
4. In the second campaign Antoine has used a picture of a happy couple (*image d'un couple heureux*).
5. Laurence and her colleagues find it better (*nous, on trouve qu'elle est, elle est plus intéressante*).
6. She feels the image has been used too many times before (*c'est encore, euh, la énième image d'un couple heureux*).
7. He admits that the image has been used many times for advertising banks and the like, but maintains that this is the first time it's been used to advertise a city (*je crois que c'est la première fois, ou alors, trouve-moi des campagnes où on montre des gens, euh, pour parler de la ville*).

Activité 18

3. Here are the completed sentences. The words you should have inserted are in bold.

   (a) Laurence: 'Il y a un visuel sur lequel **on n'est pas d'accord**, on est embêtés.'

   (b) Laurence: 'On remontre encore un bâtiment, **c'est pas très original**.'

   (c) Antoine: 'Non, pour le bâtiment, tu **sais bien**, c'est pas la campagne **de toute façon** que l'on recommande.'

   (d) Laurence: 'Quand on parle de la deuxième campagne, **alors là** tu **crois pas** qu'on peut nous faire le reproche de montrer un couple heureux.'

   (e) Antoine: '... qui parle des gens, et qui dit, **en fait**, à Nantes, on est bien. **Résumé**: on est bien, il y a une qualité de vie qui est bonne.'

Activité 19

Here is a transcript of the dialogue. The sentences you should have translated and spoken are in bold.

– Alors, vous avez vu le spot, qu'est-ce que vous en pensez?
– **Franchement, je trouve qu'il n'est pas très convaincant.**
– Ah bon, pourquoi?
– **Nous vous avons demandé de montrer un concert sponsorisé par la société Infotec et vous ne l'avez pas fait.**
– Donc, vous voulez dire que les deux thèmes de la culture et de l'industrie ne sont pas bien représentés? Pourtant, on voit bien un théâtre avec, en bruit de fond, des conversations animées.
– **Je suis désolé, mais ce bâtiment n'a pas l'air d'un théâtre*.**
– Hmmm, bon peut-être, mais il y a quand même le texte qui parle d'industrie et de culture.
– **Écoutez, je dois dire que nous sommes très déçus.**
– Et votre patron partage votre avis?
– **Oui, il trouve le deuxième spot plutôt décevant.**
– Bon, on va essayer de le refaire.

* You might have translated this by *ne ressemble pas à un théâtre.*

Activité 20

Here is the complete conversation. The words you should have spoken are in bold.

Christine	Tu as des nouvelles de la boîte à Chambéry?
Olivier	**Non, je n'ai pas de nouvelles.**
Christine	Parce que moi, je te le dis tout de suite, j'ai pas vraiment envie de déménager.
Olivier	**De toute façon, je suis sûr qu'ils ne vont pas m'embaucher**.
Christine	Mais c'est pas ça la question, Olivier, tu m'as promis qu'on irait un jour vivre à Lille. Chambéry, c'est trop loin.
Olivier	**C'est vrai qu'on serait loin de Lille.**
Christine	Beaucoup trop loin.
Olivier	**Mais on pourrait quand même y aller deux ou trois fois par an.**
Christine	Mais enfin, on ne connaît personne à Chambéry, et puis tout d'un coup, tu as envie d'aller t'installer là-bas!
Olivier	**Tu sais très bien que j'ai toujours voulu vivre près des Alpes.**
Christine	Mais tu es bien ici, à Paris.

Olivier	**Parce que moi, je fais un gros effort, mais toi pas.**
Christine	Tu dis n'importe quoi!
Olivier	**Mais non, c'est la vérité.**
Christine	D'accord, d'accord, fais comme tu veux.
Olivier	**Écoute, on est tous les deux fatigués, on pourrait en parler demain.**

Activité 21

The completed sentences, with translations, are listed below.

(a) *Si Olivier allait vivre à Chambéry, sa femme ne serait pas heureuse.*
If Olivier went to live in Chambéry, his wife would not be happy.

(b) *Si on montrait le château dans une publicité sur Nantes, les touristes britanniques passeraient par ici.*
If we showed the castle in an advertisement for Nantes, British tourists would spend some time here.

(c) *Il y aurait beaucoup plus de personnes sans domicile fixe si l'association Emmaüs n'existait pas.*
There would be far more homeless people if the Emmaüs association did not exist.

(d) *Si la cité de Bellevue était plus belle, les jeunes du quartier feraient un plus gros effort pour respecter leur environnement.*
If Bellevue were more attractive, the young people in the area would make a bigger effort/more effort to respect their environment.

(e) *Je dépenserais moins d'argent si les vendeurs étaient moins convaincants.*
I would spend less money if the salesmen were less persuasive.

Activité 22

1 Je partirais en vacances si j'avais assez de temps.

2 À mon avis, si la ville disposait de plus d'arbres, elle serait plus jolie.

3 Si tu gagnais un million de francs, comment est-ce que tu dépenserais l'argent?

4 Ils iraient plus souvent au théâtre s'ils n'avaient pas d'enfants.

5 Oui, si elle arrivait enfin à vendre sa maison à Londres, elle s'installerait en France.

Activité 23

2 (a) Les habitants ne sont pas très accueillants. En fait, je viens de passer trois mois tout(e) seul(e).

(b) Les rues piétonnes sont assez agréables. Par contre, je m'attendais à voir moins de circulation. Par ailleurs, je pense que la municipalité pourrait faire des efforts pour améliorer le réseau de transport public.

(c) Oui et non. Les espaces verts sont nombreux, mais un peu décevants. Ce qu'on pourrait reprocher, c'est le manque* d'équipements de jeu pour les enfants.

(d) Le château est l'un des atouts majeurs de la ville selon les brochures, mais je ne suis pas arrivé(e) à le visiter et de toute façon je n'aime pas beaucoup les meubles anciens.

* Note that *manque* is masculine.

Section 2

Activité 24

Here is the completed table:

Le confort	*La rapidité/la régularité*	*L'aspect écologique*
moins bousculé	rapide	plus silencieux
plus calme	plus souvent	(pas) polluant
plus agréable	plus régulier	pas de circulation
moins de monde	ça va plus vite	

Activité 25

You could have written something like this:

S'il y avait le tramway, la ville serait plus calme, il y aurait moins de circulation et l'environnement serait donc beaucoup plus agréable. Il y aurait moins de voitures garées dans les rues et on circulerait plus vite/facilement. Ce serait plus silencieux et moins polluant. À mon avis, le tramway serait plus pratique parce qu'il serait plus régulier, plus rapide et plus fréquent que le bus.

Activité 26

1 Vrai. We are told that there was a tramway *'vers la fin du XIXème siècle'* (towards the end of the nineteenth century) and that *'l'ancien réseau a disparu en 1958'* (the old network disappeared in 1958).

2 Faux. The first new tram line was built in 1984.

3 Faux. It has nearly doubled (from less than 50% to more than 93%). Maudez Guillossou says *'ils étaient moins de 50% en 1984 à vouloir le tramway... ils sont aujourd'hui 93%...'*.

4 Vrai.

Activité 27

2 (a) The main disadvantage he cites is that the metro is very expensive (*très cher*).

(b) Marie-Noëlle points out that you can bury a metro system, whereas a tram system takes up space in the city streets (*mais le métro, on l'enterre, tandis que le tram, il prend de la place dans les rues de la ville).*

(c) Underground travellers cannot see the town; they no longer communicate with the town (*Dans le métro, vous êtes sous terre, vous ne voyez plus la ville. Vous n'êtes plus en communication avec la ville*).

(d) He says that cars and trams are complementary means of transport (*sont des moyens complémentaires*) and there is no competition between the two (*il n'y a pas concurrence entre la voiture et le tramway*).

Activité 28

Here is a transcript of the conversation. The words you should have inserted are in bold.

Marie-Noëlle	Pourquoi avez-vous choisi de construire un tram dans la ville de Nantes?
Maudez Guillossou	Euh, au lieu d'un métro par exemple, ou...
Marie-Noëlle	Oui, par exemple, au lieu d'un métro.
Maudez Guillossou	Parce que le métro **effectivement** est un système très intéressant, performant, moderne, **mais** très cher. Il coûte quatre à cinq fois plus cher qu'un tramway. C'est la raison pour laquelle nous avons choisi de faire un tramway moderne.
Marie-Noëlle	**Mais** le métro, on l'enterre, **tandis que** le tram, il prend de la place, dans les rues de la ville.
Maudez Guillossou	C'est l'avantage du tramway, **non seulement de** prendre un peu de place, ce qui oblige à une autre politique du partage de la rue, **mais en plus** qu'il permet de, de voir la ville, de vivre dans la ville, **alors que**, lorsque vous devez descendre dans le métro, vous êtes sous terre, vous ne voyez plus la ville. Vous n'êtes plus en communication avec la ville.

Activité 29

2 Here are the completed dialogues, with the link phrases shown in bold.

(a) – Je ne sais pas comment les gens peuvent supporter de s'enterrer dans le métro tous les matins et tous les soirs.

– Il y a du monde, c'est vrai. **Mais** le métro, c'est bon marché **tandis que/alors que** le billet de tram coûte cher.

(b) – Je te plains, tu as un long trajet à faire pour aller à ton bureau!

– **Effectivement**, **mais** je travaille chez moi trois jours sur cinq.

(c) – Les rues sont encore plus dangereuses pour nous, pauvres piétons, maintenant qu'il y a les trams.

– Tout à fait, parce que **non seulement** ils sont rapides, **mais en plus** ils sont silencieux.

(d) – À quoi ça sert d'avoir déménagé, puisque tu ne veux jamais profiter du week-end pour aller skier?

– **Effectivement**, **mais** l'année prochaine j'aurai moins de travail et on pourra aller régulièrement à Chamonix.

(e) – Il paraît que vous n'aimez pas l'affiche que nous vous avons préparée pour la campagne 'Vendre la ville'? Pourtant toute notre équipe y a collaboré.

– D'accord, vous avez beaucoup travaillé dessus. **Mais** vous montrez un bâtiment industriel **alors que/tandis que** nous voulons illustrer les équipements sportifs de la ville!

(f) – Elle est bien, la nouvelle collègue.

– Oui, **non seulement** elle a de l'expérience, **mais en plus** elle sait communiquer.

Activité 30

1(a), 2(b), 3(a), 4(a), 5(b), 6(b), 7(b), 8(b).

Activité 31

2 You should have associated the dates and events as follows:

(i) (b) 'le premier tramway a commencé à circuler en 1875'.

(ii) (f) 'le tramway s'est développé avec, entre 1875 et 1913, la traction à air comprimé'.

(iii) (d) 'en 1913, le réseau a bénéficié d'une modernisation avec l'arrivée de la traction électrique'.

(iv) (a) 'la première guerre mondiale a freiné le développement de l'électrification des lignes'.

(v) (g) 'le développement des lignes est principalement porté sur le prolongement des lignes, en périphérie ou en banlieue'.

(vi) (e) 'le centre-ville a été anéanti par un bombardement'.

(vii) (c) 'le 21 janvier 1958 disparaissait le dernier tramway électrique du paysage nantais'.

(viii) (h) 'Alors de 1958 à 1973, la politique des déplacements en France équivalait à développer les moyens de transport individuels au détriment du transport collectif'.

Activité 32

1 She was working with an advertising agency (*une agence de publicité*).

2 They had prepared a good television campaign (*on avait réussi à préparer une bonne campagne publicitaire pour la télévision*).

3 Construction work had started in the spring of 1989 (*les travaux avaient commencé*).

4 The advertisements which Odile and her team had created were due to be broadcast (*les spots que nous avions créés devaient être diffusés*).

5 She had telephoned her colleagues at the agency (*j'avais téléphoné à mes collègues de l'agence publicitaire*).

6 The police went the director's house on 7 May because he hadn't come to the office (*la police est allée chez lui car il n'était pas venu au bureau*) and they discovered that he had disappeared (*il avait disparu*).

Activité 33

The verbs in the pluperfect are in bold in the sentences below.

1 Il est venu chez nous à 14 h, mais nous **étions** déjà **sortis**.

2 J'ai invité Anne-Marie au restaurant, mais elle **avait** déjà **mangé** dans le train.

3 Quand il est arrivé chez Emmaüs, il **avait** déjà **passé** trois mois sans domicile fixe.

4 Parce que je me suis aperçu(e) que j'**avais dépensé** trop d'argent.

5 Elle **avait passé** la matinée à écrire des lettres de candidature.

Section 3

Activité 34

1 The two reasons are that she worked all last weekend and that she'll be doing the same thing next weekend (*j'ai travaillé tout le week-end dernier, hein, et ça va être la même chose ce week-end*).

2 Brigitte thinks work is more important (*Moi, je suis pas du tout d'accord. Pour moi, le travail, ça passe avant tout*).

3 According to Hélène, an employer should not expect staff to work every weekend (*un employeur ne devrait pas exiger qu'on travaille tous les week-ends*).

4 According to Brigitte, real friends would stay in touch by telephone (*ils resteraient en contact avec toi, même par téléphone*).

5 They agree that your health is very important (*La santé, c'est indispensable... Ah oui ça, on peut pas dire le contraire*).

Activité 35

1 On ne devrait pas nous demander ça.

2 Si je n'avais pas mon travail, je serais complètement déprimée.

3 Je ne serais pas heureuse si je n'avais pas un boulot intéressant.

4 Si tu n'avais pas ton salaire à toi, tu ne serais pas indépendante.

5 Et si je continuais comme ça, je perdrais en plus tous mes amis.

Note that in 2 and 3, Brigitte and Hélène dropped the *ne* in the original spoken dialogue. We have put them back, as this is a written exercise.

Activité 36

Below is a transcript of the dialogue. The sentences you should have translated and spoken are in bold.

Aurélie J'en ai marre, mais j'en ai marre. Écoute je ne peux plus supporter la vie en ville, le bruit, la pollution, les embouteillages. C'est vraiment intolérable.

Vous **Mais pas du tout, pas du tout. Ça me plaît, la vie en ville.**

Aurélie Ah bon? Et combien de fois tu m'as dit que tu avais envie d'aller habiter à la campagne?

Vous **Il ne s'agit pas de moi. Je te connais.**

Aurélie Qu'est-ce que tu veux dire, 'Je te connais'?

Vous **Tu ne serais pas heureuse si tu n'avais pas tes amis autour de toi.**

Aurélie Je ne suis pas d'accord. De toute façon, mes meilleurs amis resteraient en contact par téléphone. Non, je te l'avoue franchement, je vais commencer dès ce week-end à chercher une petite maison dans un village loin d'ici.

Vous **Mais si tu vivais dans un petit village, tu ne pourrais plus aller au théâtre.**

Aurélie J'ai envie de mener une vie simple. J'ai fait des économies, je n'ai plus besoin de travailler et j'irais moins souvent au théâtre, c'est tout. En plus, j'aurais beaucoup plus de temps libre.

Vous **C'est pas ça le problème. Tu serais complètement déprimée si tu n'avais pas ton travail.**

Aurélie Hmmmm. Oui, c'est vrai. Alors je ne sais pas, peut-être que j'ai juste besoin de partir en vacances.

Vous **Mais oui! Si tu partais en vacances, tu pourrais prendre une décision plus facilement.**

Activité 37

1 Vrai.

2 Vrai.

3 Faux. Monique does indeed think that consumers would sort their rubbish if they had more information, but *sensibilisation* does not mean they need to be more sensible – rather that they need greater awareness (of the issues concerned). *Sensible* means 'aware', 'sensitive'.

4 Vrai.

5 Faux. Her affection for her dustbin is based on the fact that in it there are materials which will be recycled.

Activité 38

The liaisons you should have underlined are shown below.

L'intervieweuse — Et vous pensez qu'on peut demander ça aux consommateurs, de faire ce tri comme ça de... des ordures?

Monique — Je pense. Il faut tout un esprit. Il faut une information, c'est tout un travail de préparation, de sensibilisation.

L'intervieweuse — Mais ça prend un temps fou de faire ce tri, non?

Monique — Mais non, bien sûr, vous arrivez de votre cuisine, vous rentrez dans votre garage, vous avez votre bouteille en-dessous le bras, euh. C'est une question d'organisation.

Activité 39

The liaisons you should have underlined are shown below.

1 (a) Où sont mes amis?

(b) C'est où la gare SNCF? (no liaison)

(c) Vous avez vingt-deux ans?

(d) Une femme et un homme sont sortis de cet entrepôt.

(e) Il a les yeux verts.

(f) Il habite en haut de la colline. (no liaison)

3 (a) C'est où la place du Tertre? (no liaison)

(b) Ces Hollandais sont arrivés aujourd'hui.

(c) Il a laissé ses papiers en haut. (no liaison)

(d) Cet hôtel-ci est dans la rue Haute-Colline.

(e) J'ai mis les haricots dans la cocotte. (no liaison)

(f) J'ai trois amis qui arrivent cet après-midi et deux autres ce soir.

Activité 40

Here is the complete transcript. The words you should have inserted are in bold.

L'intervieweuse — Donc pour en revenir à cette usine d'incinération, vous la voulez pas devant chez vous. Est-ce que vous pensez qu'il y a quelqu'un qui va **l'accepter**?

Monique — Je la veux pas devant chez moi, euh, c'est… j'ai pas dit ça, que je la voulais pas devant chez moi!

L'intervieweuse — Si, un petit peu quand même…

Monique — … mais je la voulais pas parce que je connais un peu le problème des déchets **ménagers** et des **ordures**, un petit peu, dans l'agglomération nantaise, et je pensais avec d'autres qu'on n'**en** avait pas **besoin**. Si on avait **mis** le tri aujourd'hui dans l'agglomération nantaise, si on **avait** demandé aux gens de trier un petit peu, si on avait mis, si on avait donné les moyens de faire une sélection des déchets, nous **aurions** pu trier nos ordures à **35%**.

Activité 41

The completed sentences, with translations, are listed below.

(a) *Si j'avais fait de plus longues études, j'aurais trouvé un métier plus intéressant.*
If I had studied more, I would have found a more interesting trade.

(b) *Si la mairie avait construit un métro au lieu d'un tramway, les tickets auraient coûté plus cher.*
If the *mairie* had built a metro instead of a tramway, tickets would have cost more.

(c) *Nous aurions pu mieux manger si tu m'avais laissé préparer le repas.*
We could have eaten better if you had let me do the cooking.

(d) *Si tu avais apporté ton saxophone, on serait allés participer au festival de musique.*
If you had brought your saxophone, we would have gone to take part in the music festival.

(e) *Ils n'auraient pas pu acheter une maison aussi chère s'ils n'avaient pas pris de crédit.*
They would not have been able to buy such an expensive house if they hadn't taken out a loan.

Activité 42

3 Here is the complete dialogue. The sentences you were asked to translate are in bold.

Olivier — Ouf! Quelle journée, c'est incroyable le travail qu'on nous demande. Ça va, Christine?

Christine	Non, ça ne va pas du tout. Toi, tu as peut-être trop de travail, mais moi je n'en ai pas du tout. **J'aurais préféré rester à Paris.**
Olivier	Ne recommence pas enfin! **Je n'aurais pas trouvé d'emploi si nous étions restés à Paris.**
Christine	Mais bien sûr que si! Papa voulait t'embaucher dans son entreprise. Je ne suis pas heureuse ici. Je n'arrête pas de te le dire. **Si tu m'avais écoutée, tu aurais compris.**
Olivier	C'est pas ça la question, tu sais très bien que je t'écoute. Mais ton père est trop difficile à supporter. **S'il m'avait embauché, je serais parti au bout de trois semaines.**
Christine	Ça alors! Papa est difficile à supporter? Et toi, non? **Nous aurions été plus heureux si nous étions allés à Lille ou à Rennes.**
Olivier	Oh après tout, tu n'en sais rien.

Activité 43

Il paraît que Nantes pourrait recycler 35% de ses déchets, mais qu'on n'en recycle en fait que 15%. À mon avis, cette situation ne devrait pas continuer. Par exemple, nous pourrions recycler le verre, les matières plastiques, l'aluminium. Il est vrai qu'établir un système de recyclage coûterait cher, mais je suis sûr que si la ville vendait les produits recyclés, elle pourrait récupérer son investissement. Pour conclure, non seulement cette démarche aurait des bienfaits immédiats, mais elle donnerait également à nos enfants une meilleure qualité de vie.

Activité 44

2 Here are summaries of the paragraphs.

Paragraph 1

Twelve company doctors and health officers have issued a report showing a decline of health in the work place over the last five years.

Paragraph 2

The main cause is stress, which allows a worker to perform optimally, but may lead ultimately to a dramatic breakdown.

Paragraph 3

Material conditions at work are better than in the past, but today's economic threats to jobs explain the extra efforts made by workers. Hence there are twice as many mental health problems in France now as twenty-five years ago.

Paragraph 4

The twelve doctors also blame managers, who are often incompetent to manage the impact that their decisions have on the people affected.

Paragraph 5

One of the doctors gives as an example a case of multiple suicide in a company.

Paragraph 6

A less acute example is a young woman who has developed psoriasis and stomach cramps. As a result, she regrets the decision she made to leave her home and go out to work.

Paragraph 7

A different example is a literature teacher who gained 15 kg and went from being an avid reader to a passive TV viewer because of the difficulties he met in his class.

Paragraph 8

This gives two examples of hitherto reliable employees doing things out of character as a result of stress.

Paragraph 9

Many different physical factors are incriminated, as well as the speed of response demanded of some categories of staff. The effects of such excessive demands have been measured and statistics to do with them are quoted in support.

Paragraph 10

Figures are quoted to illustrate the effect of stress on the pulse rate of members of the emergency services and on a newsreader delivering the evening news on television.

Paragraph 11

This describes work conditions for air-traffic controllers. One is quoted talking about a colleague's dramatic resignation following an air crash.

Paragraph 12

Other categories of stressed workers are discussed: dentists, telephone operators, stock exchange brokers.

Paragraph 13

Such jobs need young staff who can cope with being stressed. However, they burn out within ten years. It is dangerous to slow such people down according to an expert in psychosomatic troubles.

Paragraph 14

Stress can be seen as the animal's response to danger. It can be beneficial in that it allows the body to prepare for flight or for a fight. It is harmful if neither course of action is possible.

Paragraph 15

The less power people have over their work situation, and the less information they have access to, the more stress they suffer.

Paragraph 16

This discusses managers and their relative vulnerability to stress. Middle managers suffer most, as they cannot delegate as much as top managers. Different types of manager are described. It is suggested that managers may make use of employees' stress for their own purposes. But loss of power can cause stress to managers themselves. Stress has been shown to cause physical symptoms in an animal experiment.

Paragraph 17

Stress problems specific to *cadres* are overwork and loss of self-confidence.

Paragraph 18

Supervisors have a particularly difficult time learning to supervise by charisma, instead of by sheer weight of authority, as was the case in the past.

Paragraph 19

Stress can affect a whole company. Relationships between the employees of a 'stressed' company are described. It is suggested that staff behaviour towards bosses may be like that of children towards parents.

Paragraph 20

Tips for overcoming one's stress are forthcoming from many quarters. Examples are given of rather eccentric ones, with ironic comment from the author of the article.

Paragraph 21

This gives examples of anti-stress courses for corporate use.

Paragraph 22

Techniques for promoting non-stressful working methods and a healthy working environment within companies have been tried.

Paragraph 23

Job satisfaction is linked to longevity. So, as a jokey conclusion, the author exhorts you to get down to work.

Activité 45

2

Name	*What creates their stress?*	*What are the consequences of this stress?*
Catherine (paragraphe 6)	Being constantly moved from one job to another and doing two jobs at once	She has severe psoriasis and stomach cramps
Pierre (paragraphe 7)	Being a literature teacher and having to teach pupils who can't write their name	He suffers from bulimia
Henri Sannier (paragraphe 10)	Has a pressurized job (TV presenter) where he has to make the right decisions quickly	His pulse rate shoots up just before and during his programme
Une standardiste (paragraphe 12)	Constantly bombarded with calls	She becomes ill and in the underground shouts *'Allô, j'écoute'* each time the doors close
Gonzague Real del Sarte (paragraphe 12)	As a top broker at the stock exchange, he needs to juggle millions in seconds and predict sudden changes in the market	He ends up destroying 1000 paper clips per month

Activité 46

The completed sentences, with translations, are listed below.

(a) *Si Catherine n'avait pas assuré deux postes, elle n'aurait pas eu de crampes d'estomac.*
If Catherine had not been doing two jobs, she wouldn't have had stomach cramps.

(b) *Si le directeur avait suivi un stage anti-stress, il n'aurait pas donné sa démission.*
If the director had gone on an anti-stress course, he would not have resigned.

(c) *Si l'entreprise avait installé un sauna, je serais resté plus longtemps chez eux.*
If the company had installed a sauna, I would have stayed with them longer.

(d) *Il aurait pu dormir sur ses deux oreilles si on lui avait donné moins de responsabilités.*
He would have been able to sleep soundly if they had given him fewer responsibilities.

Activité 47

You should have translated the missing parts of the dialogue as follows:

Picture 1: Il faut que tu sois à l'heure.

Picture 2: Il faut que j'aille acheter des fleurs.

Picture 3: Il faut que tu fasses un effort aussi!

Picture 4: Il faut que je dise bonjour à un copain.

Picture 5: Il faut qu'il vienne!

Activité 48

1 Caroline would like cities to be less polluted. One of the examples she mentions is banning cars in favour of public transport.

2 She says they are stressed because they have too little time to do things.

3 They slump in front of the TV and don't speak to each other.

4 She would like to see people being less ambitious and less individualistic.

5 Anne-Dominique says quality of life consists of a pleasant environment for one's family, and the time to enjoy and respect the good things in life.

6 Jacques mentions making time for listening to music and reading.

Activité 49

Your essay may have looked something like this:

> Pour moi, la qualité de la vie, c'est plusieurs choses, mais je crois que l'essentiel, c'est d'avoir de bonnes relations humaines, au travail ainsi qu'avec ma famille et avec mes voisins. En général, ça va, mais il est vrai que si j'avais un emploi moins stressant je

pourrais consacrer plus de temps à ma famille. J'aimerais passer beaucoup moins de temps sur l'autoroute (mon emploi m'oblige à voyager beaucoup), non seulement parce que c'est fatigant, mais aussi parce que je sais que toutes ces voitures sont très polluantes pour l'environnement. Mes regrets? J'ai de moins en moins de regrets, mais j'avoue que si j'avais fait plus d'études pendant ma jeunesse, j'aurais pu trouver une carrière plus intéressante. Pourtant, je ne devrais pas me plaindre. J'ai une très belle maison dans un quartier agréable d'une ville historique qui a en plus tous les agréments d'une ville moderne. Par contre, il est vrai que les gens semblent être de plus en plus pressés et de plus en plus stressés, et franchement ce n'est pas très agréable. Ma femme me dit qu'il faut que je sois plus tolérant. Malgré tout, elle m'aide beaucoup et, tous les deux, nous savons communiquer. En somme, je peux dire que je suis heureux et qu'il serait difficile d'améliorer la qualité de ma vie.

Acknowledgements

Grateful acknowledgement is made to the following sources for permission to reproduce material in this book:

Text

p. 8: from *Chambéry, Cœur Alpin de l'Europe*, avec l'aimable collaboration de l'Office de Tourisme de Chambéry; p. 9: from *Guide de Toulouse 1993*, avec l'aimable collaboration de l'Office de Tourisme de Toulouse; p. 10: from *Lille*, avec l'aimable collaboration de l'Office de Tourisme de Lille; pp. 61–5: Rémy, J., Leblond, R. and Nouel, J. (1988) 'Le stress au boulot', *L'Express*, 23 septembre, The New York Times Syndication Sales Corporation.

Illustrations

p. 64: Thierry Benoît.

Cover photograph by David Sheppard.

This book is part of L120 *Ouverture: a fresh start in French.*

Cadences

1 L'année mode d'emploi

2 Le temps libre et le temps plein

3 Vivre en collectivité

4 Vivre la nuit

Valeurs

1 Marketing et consommation

2 Gagner sa vie

3 Douce France?

4 La qualité de la vie

The two parts of the course are also sold separately as packs.

L500 *Cadences: update your French*

L501 *Valeurs: moving on in French*